열일하는

과금기사

열일하는 과금 기사 6

초판 1쇄 발행 2022년 3월 25일

지은이 | 박건
발행인 | 신현호
편집장 | 이호준
편집 | 송영규 최종건 정재웅 양동훈 곽원호 조정범 강준석 최성화
편집디자인 | 한방울
영업 | 김민원

펴낸곳 | ㈜ 디앤씨미디어
등록 | 2002년 4월 25일 제20-260호
주소 | 서울시 구로구 디지털로 26길 111 JnK디지털타워 503호
전화 | 02-333-2513(대표)
팩시밀리 | 02-333-2514
E-mail | papy_dnc@dncmedia.co.kr
블로그 | blog.naver.com/gnpdl7

ISBN 979-11-364-3135-6 04810
ISBN 979-11-364-2823-3 (SET)

박건 판타지 장편소설
6
Papyrus Fantasy Story
열일하는
파문기사
PAPYRUS
파피루스

chapter1.

빚쟁이 황제

chapter1.
빛쟁이 황제

세상에 존재하는 모든 주문이 들어 있다는 환상의 서적.

황금마탑의 [마도전서]가 내 손에 들어왔다.

"하아…… 하아…… 콜록!"

쓰레기 같은 몸뚱이는 흥분해 소리 좀 친 것 가지고 심장이 쿵쿵거리고 호흡이 가빠졌지만 그 정도로는 이 고양감을 막을 수 없다.

'이건 백과사전과 동급…… 아니, 그 이상일지 몰라.'

아르데니아에는 보물 취급받는 서적이 몇 존재한다. 명제국의 [백과사전], 신성제국의 [빛의 성서], 크리스털 연맹의 [세계수의 서]와 [강철 불꽃 기술서] 그리고.

'마도전서.'

아르데니아에서 신비학(神祕學)은 단순한 지식이 아니다.

그것은 힘, 그리고 이 야만의 세계에서 힘은 곧 권력이다.

'팔 왕국에서 가장 강한 영향력을 지닌 집단이 왕실이 아니라 황금마탑인 이유지.'

일천이 넘는 마법사를 보유하고 대륙 전체에 그 영향력을 투사하는 학술 단체이자 무력 단체, 그리고 그 녀석들이 지고의 보물로 떠받는 것이 바로 이 마도전서이다.

"후."

호흡을 고른다. 해야 할 말도 골랐다. 그리고 아르데니아로 들어간다.

"로그인."

옥좌에 앉아 마법사들을 내려다본다.

그들 중 맨 앞에 무릎 꿇고 있는 노인의 눈빛이 형형하다.

사루만 하이 매직.

이름만 봐도 마법사임을 알 수 있는 그는 아르데니아 최강의 마법사이자 황금마탑의 주인이다.

"이 마법의 지식이 나에게 무가치하다는 사실을 알고 있을 것이다."

내 말에 예를 표하고 있던 마법사들의 표정이 사나워진다.

웅-

동시에 요동치는 마력은, 공명음까지 만들어 낼 정도였다.

철컥.

자연스럽게 주위에 도열해 있던 기사들의 기세 역시 살벌해진다. 개중 몇은 검에 손을 대기까지 한 상황.

그러나 4클래스 마스터 사루만은 흔들림 없는 표정으로 내 말을 인정했다.

"그렇습니다, 폐하. 1년 만에 1천이 넘는 마법사를 키워 냈다는 소식을 들었지요."

"1천이라니. 그럴 리가 있나."

"……제가 잘못 알고 있었나 보군요."

한 번 따지지도 않는 사루만의 모습에 내심 놀란다.

'정말 바짝 엎드리는군. 황급마탑의 탑주 정도 되면 왕들에게도 말을 놓을 정도의 권력을 가지고 있었을 텐데.'

물론 몬스터들의 대습격. 그리고 길드 타워에 오면서 봤을 아이언 캐슬의 웅장한 모습을 생각하면 당연한 일이지만 아르데니아에서 마법사가 가지고 있던 입지를 생각해 보면 이것만 해도 대단한 일이다.

'하기야 바보가 대륙 제일의 마법사가 될 수는 없었겠지.'

아르데니아의 쓰레기 같은 서클링으로 4클래스 마스터에 올랐다는 것 자체가 그의 재능이 평범하지 않다는 걸

뜻한다. 정확히 말하면 평범하지 않은 수준이 아니라 천재적이라고 해야겠지.

'어? 잠깐.'

문득 떠오르는 생각이 있었다.

"로그아웃."

지구로 돌아가 팬 사이트를 검색한다.

답은 어렵지 않게 찾아낼 수 있었다.

[백색 현자(전설)]

"아, 역시 있네."

리벤지의 클래스는 아르데니아의 역사는 물론이고 과거 · 현재 · 미래에 존재할 모든 가능성의 총합.

저 정도의 천재라면 클래스가 존재하는 게 당연한 일이다.

"시대와 상황이 잘 맞아들었다면 전설까지 갈 가능성이 있었다는 말이네. 지금은 이미 늙어서 힘들겠지만."

물론 방법은 있다. 전설 클래스 백색 현자 카드를 그에게 넘기면 헤이즈가 그러했던 것처럼 당장 전설급 능력을 갖추게 되겠지.

당연하지만, 그럴 생각은 추호도 없다.

"로그인."

다시 옥좌에서 마법사들을 내려다보다 말했다.

“스마일, 마법사 육성 상황은 어떠하지?”

내 말에 마법병단 앞에 서 있던 스마일이 대답했다.

“현재까지 마력을 다루기 시작한 견습 마법사의 수는 7,413명. 서클링을 맺어 낸 1클래스 마법사가 3,217명, 2클래스 마법사는 117명, 3클래스 마법사는 4명입니다.”

“2서클부터 너무 줄어드는군.”

내 말에 스마일이 멋쩍은 표정으로 답했다.

“아무래도 기초 교육도 못 받은 녀석들이 많은지라…… 하지만 시간의 문제이니 곧 해결될 것입니다.”

스마일의 답에 수십 명의 마법사가 술렁거린다.

“이, 무슨…… 7천? 3천?”

“게다가 얼마나 지났다고 3클래스 마법사가 나올 수 있단 말인가!?”

자리를 생각하면 경솔한 태도지만 당연한 반응이다.

‘그럴 수밖에.’

1클래스에만 도달해도 정식 마법사, 2클래스면 어디에서도 인정받는 숙련 마법사, 3클래스면 고위 마법사로 인정받는 중세랜드.

재능 있는 자도 서클링을 맺어 내는 데 10년이란 세월이 걸린다는 상식을 가지고 있는 그들에게 고작 1년 동안 수천 명이 넘는 마법사 육성은 그야말로 재앙이었다.

‘그래. 재앙이지.’

재앙일 수밖에 없다. 지금껏 마법사라는 이유만으로 어

딜 가서든 대접받고 고개 빳빳이 세울 수 있는 그들에게 이건 자신들의 신분이 나락으로 떨어졌음을 의미하니까.

아마 여기에 찾아오면서 마법사 수십 명이면 엄청난 대접을 받을 수 있을 거라 예상했겠지만 천만의 말씀.

있으면 나쁘지 않은 전력이지만, 그렇다고 인류제국이 목맬 수준은 절대 아니다.

"인류제국은 아이언 캐슬과 와이일드 보어에 위치한 매직 아카데미에서 모든 이에게 공평하게 마법을 가르치고 있다. 최종적으로는 모든 성에 배치할 생각이지."

리벤지에서 마법사와 전사의 차이는 주는 데미지가 마딜이냐 물딜이냐 정도에 불과하지만, 현실에서는 다르다.

전투 외에는 쓸모를 찾기 힘든 오러 능력자와는 다르게 마법사의 쓸모는 너무나도 많아 하나하나 열거하기도 힘들 정도.

많은 마법사를 양산해 둔다면 인류제국의 전력은 물론이고 기술 발전과 편의성 증진에 지대한 영향을 끼칠 것이다.

"……."

그러나 그 좋은 말을 들었음에도 사루만은 질끈 눈을 감았다. 뒤에 엎드려 있던 마법사들의 표정에서는 분노가 가득하다.

비인부전(非人不傳).

그럴싸한 말로 치장된 이 지식의 독점은 오늘내일 일이 아니다. 그들은 그저 말로 타이르는 게 아닌, 피와 살로써 그 철칙을 지켜왔다.

'그래. 내가 괜히 심법과 검술을 풀지 못한 게 아니지.'

아르데니아에 느닷없이 던져졌던 20년 전에도 나는 충분한 수의 심법을 숙지하고 있었다. 내가 하려고만 했다면 아르데니아 최강의 용병단을 만들 수도 있었겠지.

그러나 난 절대 배신하지 않으리라 생각한 스틸스톤과 소드맨에게만 심법을 가르쳤을 뿐 심법을 보급하지 못했다.

미래 지식이 아까웠기 때문이 아니다.

'위험하기 때문이지.'

만일 내 수하들이 아르데니아의 상식 이상의 속도로 강해지고 그것이 아르데니아를 뒤흔들 정도로 발달된 심법의 힘이라는 게 밝혀졌다면 난 그것을 탐내는 기득권의 손에 의해 살해당하고 말았을 것이다.

쾌진공이라는, 문자 그대로 세상을 뒤흔들 지식을 풀어낼 수 없던 이유다.

'물론…… 영주가 된 후 서서히 그 지식을 사용할 생각이긴 했지.'

그러나 그때에도 극도의 보안 속에서 소수의 인원에게만 가르칠 예정이었다. 게이트가 열리고 로그아웃의 존재를 깨닫게 되면서 다 상관없는 이야기가 되어 버렸지만.

"폐하, 마도의 지식은 비인부전입니다. 그 귀한 지식을 어찌 천한 이들에게 베풀려 하십니까."

사루만이 차분한 목소리로 꾸짖는다. 그러나 내겐 코웃음이 나올 소리였다.

"그딴 안이한 마음을 품고 있으니 몬스터에게 패배해 모든 걸 잃고 쫓겨 나온 게 아니고?"

"……!"

내 말에 사루만이 움찔한다. 그 뒤에 있는 마법사들은 상황마저 잊고 입을 벌렸다.

"어찌 그런 폭급한……!"

"비인부전은 안이함이 아니라 도리에 관함입니다!"

"사람됨에 문제가 있는 자에게 함부로 힘을 전하면 그 파급은 모두에게 피해가 될 터인데!"

"위아래가 뒤집히고 질서가 무너지는……!"

자신을 노려보는 수많은 칼잡이 앞에서도 당당히 소리친다. 제 딴에는 옳은 말을 한다고 생각하는 듯 목숨조차 아끼지 않는 모양새.

그러나.

지배(支配), 위압(威壓), 중문(重門) 개방(開放).

황제의 위엄.

웅!

차크라 술식이 발동하자 길드 타워 20층에 있는 알현실이 단번에 침묵에 잠긴다. 어차피 설득할 수 없는 인간들이니 입이라도 닥치게 한 것이다.

'그래, 설득은 불가능하다.'

그들이 돌이킬 수 없는 악인이라서가 아니라 원래 이권에 관련되면 그 어떤 논리도 무용하다.

어차피 세상은 힘.

실제로 지금 이 상황이 아니었다면 나조차도 주문과 심법을 퍼트리는 데 제한을 두었을 것이다. 그 힘이 오히려 나를 찌르는 무기가 될 수도 있으니까.

그러나 나는 그렇지 않다.

'그럴 필요가 없지.'

내가 주문을, 클래스를, 권력을 마구 풀어 내도 상관없는 건 그저 내가 강하기 때문이다.

파벌이 형성되는가? 귀족들이 모여 사조직을 만들려 하는가? 배후에서 음모를 꾸며 여론을 조종하려는 녀석이 등장하는가?

다 쓸모없다.

일검에 만 단위의 병력을 쓸어 버리는 플라잉 엠퍼러가 존재하는 한 무의미한 걱정에 불과하다.

'그나저나 황제의 위엄 편하네.'

대단한 쓸모는 없더라도 편리한 사치성 술식.

'착점이 있으니 온갖 술식을 다 만들 수 있구나. 황제라

는 직위 덕분인지 별 수련 없이도 성장이 빠르고.'

첫 사용임에도 괜찮은 효과에 만족하며 말했다.

"인류는 사상 초유의 위기를 마주했다. 기득권을 지키려는 그 알량한 이기주의를 휘두를 상황이 아니지. 내가 하늘 도서관의 지식을 푼 것 역시 그런 이유이다."

내 말에 강제로 입이 다물렸던 마법사들의 눈동자가 흔들린다.

"그건……."

"……맙소사."

"하늘 도서관이라니……."

마법사들 사이에서 신음이 터져 나온다. 반면 플라워, 스마일을 비롯한 내 신하들은 전혀 동요하지 않는다.

'하기야 꽤 오래전부터 민 설정이니까.'

하늘 도서관.

세상 모든 지식이 잠들어 있다는 천상의 장소다.

'리벤지에서는 스킬 북이 잘 떨어지는 이벤트 던전에 불과하지만…….'

아르데니아의 신화에서는 그곳은 좀 더 대단한 곳으로 묘사되고 있고 나는 그 신화를 이용했다.

"나는 하늘 도서관에서 마법의 신께서 저술하신 서적을 필사했지. 그리고 그 결과를 보면 알겠지만, 인간의 마법과는 차원이 다른 경지에 이르러 있다."

"오, 오오…… 오오오……."

"신의 지식…… 신의 마법서……."

경악을 금치 못하는 마법사들과 그런 그들의 모습에 에헴, 하고 자랑스러워하는 마법병단의 모습에 한숨이 절로 나온다.

'이거야 원. 사이비 교주라도 된 기분이군.'

그러나 어쩔 수 없다. 내가 그들에게 가르치는 주문을 내가 직접 익힌 것이라고도, 지구에서 가져왔다고도 할 수 없는 상황이 아닌가?

내가 하사하는 능력을 그들이 이해할 수 있는 선에서 설명하려면 이런 설정이 필수.

나는 오른손으로 마도전서를 들어 적당히 훑어보며 말했다.

"다시 말하지만, 이 책에 쓰여 있는 주문은 내게 큰 가치가 없다. 하지만…… 이 책 자체가 지닌 역사와 전통은 인정할 만하군. 4클래스 마법사 사루만 하이 매직 외 88명의 망명을 받아들이겠다. 내게 충성한다면 너희에게 안전과 지식을 선사하도록 하지."

즉, 아무 특권도 인정해 주지 않는 말이지만 마법사들은 기다렸다는 듯 고개를 숙였다. 그들은 이미 신의 마법서라는 존재에 정신이 나가 있었기 때문이다.

"충성을 다하겠습니다, 폐하."

"충성을 다하겠습니다!"

"충성을 다하겠습니다!"

그렇게 마법사들이 우르르 예를 표할 때였다.

[가시나무 오크가 공성전을 신청하였습니다!]
[대상 렛맨 성]

이어서 개인 메시지가 날아온다.

[소유하고 있는 성에 공성전이 신청되었습니다!]
[대상 렛맨 성]
[최대 6시간 이내에 공성전을 시작해야 합니다!]

절로 눈살이 찌푸려진다.
'아니, 이놈들이 바빠 죽겠는데.'
나는 알람을 띄워 둔 채로 고개를 돌렸다.
"스마일. 마법사들에게 앞으로의 생활에 대해 안내해 주도록."
"네, 폐하."
"그럼."
나는 성 관리의 건물 탭을 켜 길드 타워의 벽을 개방했다.
휘오오!
몰아치는 바람을 맞으며 알현실 바닥을 박찬다.
"어어……!?"

"무슨!"

마법사들 사이에서 비명이 터져 나왔지만 상관없는 일이다.

"나와라, 카심."

팟!

허공에서 모습을 드러낸 백색의 드레이크가 떨어지던 날 등의 안장으로 받아 든다.

"크아아앙!"

포효와 함께 이어진 날갯짓! 도시의 모습이 삽시간에 멀어진다.

'아, 얼마나 더 조져야 이것들이 성을 안 건드리려나.'

맞바람을 맞으며 한탄한다.

황제는, 정말이지 바쁜 존재였다.

* * *

"맙…… 소사."

마법사들은 황제가 사라진 이후에도 완전히 압도당해 꼼짝도 못 했다.

당연히 카심 때문이다.

"저게…… 저게 그 소문의 그건가?"

"네, 전설급 펫. 화이트 드레이크 카심입니다."

이미 신화 클래스까지 얻은 재연은 크게 체감하지 못했

겠지만 전설급 펫 카심이 뿜어내는 기세는 실로 어마어마하다. 용맹한 기사도 카심이 한 번 으르렁거리면 제대로 서지도 못하고 휘청휘청할 정도.

이미 익숙한 기사들도 그런데, 말만 들었지 실제로 카심을 보는 건 처음인 마법사들에게 그 충격이 더욱 압도적이었다.

충격이 얼마나 컸는지 황금마탑의 탑주였던 사루만조차 말을 더듬는다.

"전설급 펫이라면…… 이번 공모전의 우승 상품 아니었나?"

"그렇습니다. 탑주님."

"고작, 고작 소설 나부랭이를 쓰는 데 저런 엄청난 존재를……."

믿기지 않는 현실에 황망해서 하는 사루만.

일찍이 인류제국에 자리 잡고 있던 마탑 출신의 마법사가 말했다.

"황제의 권능이 문학에 연관된 듯하다는 소문이……."

"써."

"네?"

느닷없는 말. 단호한 목소리에 마법사들의 시선이 모인다. 그러나 그러거나 말거나 사루만의 표정은 근엄하다.

"글. 쓰라고."

재연은 마법사들이 새로운 마법 체계에 온통 정신이 팔

릴 것이라고 예상했다. 그 예상은 정확했다. 마법사들은 아르데니아의 마법과는 비교를 불허하는 지구산 마법 체계에 완전히 홀려 있는 상황.

예전이었다면 주문 몇 개에 전쟁도 났을 정도니, 마법사들이 무리를 지어 인류제국에 투신한 것은 절대 우연이 아니다.

그러나 재연이, 황제가 미처 감안하지 못한 문제가 있었다.

아직 그 가치를 제대로 실감하지 못한 마법 체계와 달리…….

전설급 펫의 존재는 두 눈에 똑똑히 보인다는 사실을.

"하지만 문학은 딱히……."

"어찌 저희가 마법 연구가 아닌 집필 따위를 한단 말입니까?"

그러나 그렇게 항의하면서도 목소리가 약하다. 그들 역시 카심을 보았다. 백색으로 빛나는 거대한 드레이크의 모습에, 그들 역시 완전히 홀린 상태였다.

사루만이 말했다.

"우리는 대륙 최고의 지성들이다. 글을 써도 평민 무지렁이들보다 훨씬 잘 쓰는 게 당연한 일 아닌가?"

"그건, 그렇습니다."

"그까짓 거! 소설이나 수필 같은 거 쓰면 되겠지요!"

흥분해 소리치는 마법사들을 보며.

"그래."

사루만의 눈이 서늘하게 빛난다.

"전설 펫은 우리의 것이다."

그렇게 인류제국에 투신한 황금마탑이 활동을 시작했다.

집필 활동을.

그리고 마찬가지 상황이 제국 이곳저곳에서 벌어지고 있었다.

"전설급 펫……!"

"우리 가문에서 카심의 소유자가 나오기만 한다면……!"

"우리를 구했던 그 무시무시한 드레이크를 글 좀 써서 얻을 수 있다니!"

황제의 이름으로 열린 공모전은 제국을 뒤흔들고 있었다.

재연은 알지 못했다. 정확히 말하자면 알긴 알았지만 제대로 알지 못했다.

이미 카심은.

황제의 상징이었다.

재연의 입장에서야 거쳐 가는 펫이고 심지어 지금은 신화급 펫마저 얻은 상황이다. 이동용으로 쓰고 있지만, 언젠가 비행형 신화 펫을 얻게 된다면 펫 창에 무수히 들어차 있는 다른 펫처럼 다시는 볼 일 없을 존재.

그러나 제국민들의 생각은 다르다.

전체 공지로 침략이 선포될 때마다 하늘을 가로지르는 백색의 드레이크는 그들이 자부심이자 자랑거리였다.

위대한 황제.

인류제국이라는 이름과 달리 제국은 단 한 명의 위대한 초인, 아니 신인(神人)의 보살핌 아래 존재하고 있다.

그들의 생명을 구하고, 먹이고, 입히고, 살 곳을 마련해 준 위대한 황제.

그를 태우고 하늘을 가로지르던 드레이크는 그야말로 제국의 영광이나 다름없다.

감히 누구도 요청하지 않을 뿐 오늘 카심을 탈 수 있다면 내일 죽어도 좋다는 제국민은 얼마든지 있었다.

"소설! 소설은 어떻게 써야 하지? 아무 내용이나 상관없나?"

"글을 잘 쓸 만한 녀석을 찾아봐! 극작가 출신 없나?"

"신성제국 출신 피난민들을 수소문해 봐!"

그나마 문학적 소양이 있는 귀족 출신의 제국민들이 글을 썼다.

상황은 마법사, 의사, 행정관 역시 마찬가지이며, 기사들 사이에서도 수첩을 가지고 다니며 끼적끼적 글을 쓰는 이들이 생겼다.

그러나 쉽지 않은 일이다.

게임, 영화, 드라마, 소설 등 온갖 콘텐츠에 노출된 삶을 사는 현대인조차 작품 하나를 써 내라 한다면 난색을 보이기 마련이라는 걸 생각해 보면 열악한 교육 환경에서 자라난 아르데니아의 창작물은 고만고만한 수준일 수밖에 없겠지.

그러나.

"예스! 301호실 청소하라니까 또 어디 처박혀 있는 거야!"

"앗! 네네! 금방 가요!"

수많은 사람이 어떤 일에 뛰어들게 되면.

"할머니! 할머니! 이 판자들은 다 뭐예요?"

"호호호. 별건 아니란다. 그냥 생각날 때마다 적은 일기지. 오랜만에 꺼내는구나."

반드시 그 안에서 탁월한 인재가 나오기 마련이다.

"자자! 오늘 저녁에 글쓰기 강좌 있습니다!"

"공모전 상세 조건이 공표되었습니다!"

"책을 보고 싶은 분들은 새로 열린 천상 서점을 찾아주세요!"

공모전 심사까지 앞으로 1년.

오로지 전투와 훈련이 전부였던 인류제국에 새 바람이 불어오고 있었다.

* * *

과금력의 존재를 깨닫게 되면서 아르데니아에서의 과금에 브레이크가 걸렸다.

물론 아르데니아의 계정에는 수천억 원 치의 다이아는 물론이고 사용되지 않은 수만 장의 카드들이 있지만 사용할 수 없었다. 이미 마이너스에 도달한 과금력에 부담을 주기 때문.

그러나 그건 아르데니아의 이야기일 뿐.

리벤지에서의 상황은 다르다.

[초월 스텟 개방. 민첩]

[대상 : 킬리언스]

↳사과냥이폰 : 아니, 형님. 근력도 초월하셨잖아요……

↳풍림화살 : 투 스텟 초월 개방 이게 현실이란 말이냐……?

월드 메시지가 뜬다. 신화 카드를 얻을 때처럼 요란스럽지는 않지만, 이는 결코 가벼운 의미가 아니다.

투 스텟 초월 개방.

사실 말이 안 된다. 레벨을 풀로 올리고 컬렉션을 다 완성해도 찍을 수 없는, 정상적인 형태의 과금으로는 도저히 도달할 수 없는 영역.

그러나…… 리벤지에는 그 이상의 영역에 도달할 수 있는 콘텐츠들이 존재한다.

마치 화점을 먹지 않고 신화 카드를 뽑는 것처럼 극도로 비효율적인 방식의 과금들.

'직업 숙련도, 전투 성장 소모품, 클래스 각성, 장비 각인, 명성 개방…….'

과금이 일상인 리벤지 유저들조차 '돈독이 올랐다'라고 표현하는 미친 콘텐츠들이다. 분명 효과가 있지만 효율이 너무 낮아 고래 유저들도 학을 뗀다는 과금 요소.

그러나 2,000억이 있다면 이야기는 다르다.

아쉬운 점이 있다면.

'아르데니아에는 없는 선택지라는 거지.'

속칭 [핵과금]들은 그냥 캐시숍에서 접할 수 있는 콘텐츠들이 아니다. 메인 퀘스트와 연계되어 있거나 담당 NPC가 필요하기 때문이다.

유저들이 괜히 학을 떼겠는가?

'힘들게 찾아가 조건을 클리어한 후 무지막지한 돈까지 써야 하니 진저리를 치는 것이지…….'

요즘은 이 퀘스트들을 깨느라 정말 정신이 없다.

우주최강미남(귓속말) : 야. 오후 5시에 마계 군단장. 벨리소스 백작 레이드 있는 거 알지? 늦지 말고 꼭 와!

성재의 귓말에 답한다.

킬리언스(귓속말) : 그냥 길드원들끼리 하면 안 됨? 나 클래스 각성 퀘 해야 해.

우주최강미남(귓속말) : 아니 미친. 그거 100억짜리 아니냐? 그걸 하네…… 그리고 길드원끼리 하긴 무슨 길드원들끼리 해!

킬리언스(귓속말) : 아레스 길드면 최상급 마족쯤 간단히 잡을 수 있지 않아?

우주최강미남(귓속말) : 일성 길드랑 미래 길드가 낀다는 첩보가 있어! 한성일보 기자가 전해 줬는데…….

"와, 뭔 게임 레이드 하는데 기자가 튀어나오냐……."

기막혀하면서도 답했다. 클래스 각성 퀘가 급하긴 하지만 이벤트 레이드에서 나오는 보상 역시 무시할 정도는 아니다.

무엇보다 과금력이란 한계를 확인한 지금, 드랍 아이템은 과금력 소모가 적은 매력적인 아이템이었다.

킬리언스(귓속말) : 알았어. 시공의 틈으로 가면 되지?

우주최강미남(귓속말) : ㅇㅇ. 아, 그리고 다음 주에 정모한다는데 올 거임?

킬리언스(귓속말) : ㄴㄴ

"정모는 무슨."

지금 이 몸 상태로 가긴 어딜 가겠는가?

물론 리벤지 길드 랭킹 5위에 빛나는 아레스 길드라면 길드원 면면도 예사롭지 않겠지만 그렇기에 더더욱 갈 생각이 들지 않는다. 아레스 정모 정도 되는 자리에는 고위 능력자가 올 가능성이 크고, 그들이라면 내 몸 상태를 확인할 수 있기 때문이다.

"지금은 마도전서나 마저 옮겨 써야지."

나는 자동 사냥을 돌려 놓은 뒤 자리에 앉았다.

"로그인."

화악!

이동과 동시에 맞바람이 불어온다. 나는 능숙하게 카심을 조종해 목표로 하던 가장 높은 산에 내려앉았다.

쿵!

"이쯤이 좋겠다."

카심을 돌려보낸 뒤 시스템 UI를 조작한다.

쿠구궁!

땅이 흔들리고 돌멩이들이 경사를 따라 굴러 떨어진다. 나는 재빨리 바닥을 탕탕 쳤다.

"튀어나오지 마! 내가 들어갈 입구만!"

내 외침을 들은 듯 땅의 진동이 멈춘다.

그리고.

그그긍.

능선에 있던 커다란 바위 아래 쪽에 구멍이 생겨난다.

“오. 이제 안 보이는 위치 잘 찾네.”

칭찬하며 구멍 안으로 들어가자 내가 들어온 구멍이 저절로 작아진다. 일정의 환기구이니 정도 이상으로 클 필요가 없는 곳이다.

[산책인가?]

“그래, 산책이지. 남쪽으로 더 가 보자.”

쿠구궁.

랜드웜이 그대로 100미터 깊이의 지하로 파고든다.

나중에 지하도를 다 연결할 예정이었기에 깊이는 동일하게 맞추는 중이었다. 다행히 랜드웜에게는 초월적인 감각이 있어서 수치를 몰라도 자신이 위치한 깊이를 정확히 인지할 수 있었다.

콰가각!

투명한 비늘 너머로 흙과 바위가 밀려 나가는 모습을 보다가, 알현실을 박차고 나오던 와중에도 챙겨 온 마도전서를 꺼내 든다.

인벤토리에도 넣을 수가 없어 싸우는 내내 덜렁거렸지만, 그 정도 불편함이 마도전서를 놓고 올 이유는 되지 못한다.

‘이걸 웹소설이라고 올릴 수는 없어.’

백과사전은 백번 양보해 설정집이라고 우길 수 있지만 아무리 구리고 원시적이라도 마법서를 창작물이라 주장하는 건 전혀 다른 차원의 문제.

쓰레기라고 맨날 욕해도 어쨌든 이건 작동하는 마법 체계가 아니던가?

때문에 나는 계정을 새로 팠다.

아이디는 [이민자], 소설 제목은 [마도전서 번역], 작품 소개는 [수련 겸 고향 마법 체계를 한글로 번역 중입니다.] 정도로 써 두었다.

당연히 무료 연재다.

'이런 걸 유료 연재하면 당연히 문제가 된다. 아무도 이게 어디 마법인지 몰라도 상황은 마찬가지야.'

물론 그래선 돈이 안 되지만 상관없다. 내가 노리는 건 오직 후원 하나뿐이기 때문이다.

"아, 기껏 음성 인식 앱을 설치했는데 이건 키보드가 낫네."

아무래도 마법서이다 보니 기호가 너무 많다. 문서 프로그램에 해당 기호가 다 준비되어 있다는 사실이 그나마 위안이 되었다.

"로그인."

랜드웜의 조종석으로 돌아가 마도전서를 읽는다.

"로그아웃."

그리고 지구에서 그걸 쓴다.

몇 시간 동안 수십 수백 번 지구와 아르데니아를 오가던 난 미니맵을 보고 내가 있는 위치를 확인했다.

"아, 그러고 보니 슬슬 크리스털 연맹에 들어서겠네."

게이트가 열리기 전 아르데니아의 세력은 4개로 구분되었다.

대륙의 중앙인 천원과 그 근방의 착점을 차지하고 있던 명 제국.

대륙의 서쪽을 차지하고 있던 신성제국.

대륙의 서부와 북부를 차지하고 있던 팔 왕국.

그리고 대륙의 남부를 차지하고 있던 크리스털 연맹.

그중 크리스털 연맹은 흔히 말하는 아인족(亞人族)들의 세력이다. 수인, 엘프, 드워프 등 인간과 닮았지만, 인간이 아닌 이들의 연맹.

그 태생부터가 인간의 등쌀에 시달리다 못해 뭉친 세력이었기에 다른 세력들에게 매우 배타적이어서 아르데니아에서 20년이나 산 나도 거의 접촉이 없었다.

'귀족들이 데리고 다니는 노예들이나 좀 본 정도지.'

거기까지 생각했을 때다.

우르르!

투명한 비늘 너머로 흙더미가 아니라 빈공간이 모습을 드러낸다. 랜드웜이 밀고 들어가자 그 공간이 죽 무너지며 여기저기 흙이 쏟아졌다.

"……뭐야?"

예상치도 못한 광경에 마도전서를 내려놓고 자리에서 일어난다.

물론 놀란 건 나뿐, 랜드웜은 전혀 속도를 줄이지 않아 그대로 한참을 밀고 나간다.

"잠깐! 잠깐잠깐! 속도 줄여 봐."

[왜?]

랜드웜은 전혀 이상하게 생각하지 않는 듯했다. 땅을 파고 달리다 만나는 지하수나 암반층과 같은 취급이었다.

"인위적인 지형이야. 심지어…… 더 아래로 내려가는 길도 보이네."

나는 비늘을 열고 밖으로 나갔다.

마도전서를 챙기는 것 또한 잊지 않는다.

아이템이야 랜드웜에 두고 내려도 랜드웜의 인벤토리에 넣은 것으로 판정되지만 비 아이템의 사정은 달랐다.

랜드웜이 소환 취소되면 그대로 바닥에 떨어지는 것이다.

"뭐야, 무슨 던전 같은 건 아닌 거 같고…… 채굴장인가?"

의아해하며 주변을 둘러볼 때였다.

"꼼짝 마!"

내가 막 랜드웜의 소환을 취소하려던 순간 싸늘한 목소리가 내게 경고한다.

고개를 돌려보니 탁한 금발에 키가 150센티도 안 되어 보이는 꼬마가 눈에 들어온다.

문제는 녀석이 내게 겨누고 있는 물건이다.

"총?"

어이가 없어 입이 절로 벌어진다. 이 중세랜드에 웬 총이란 말인가?

"꼼짝 말라니까!"

꼬마가 다시 경고하지만, 전혀 위협이 되질 않는다. 아르데니아의 나는 총이 아니라 대포를 맞아도 멀쩡한 괴물, 말 그대로 살아 움직이는 생체 병기가 아니던가?

[저건 뭐냐?]

"히익!? 마, 말했어!"

랜드웜이 고개를 갸웃하자 소녀가 경기를 일으킨다. 하기야 빌딩만 한 괴물이 움직이는 모습을 보고 태연하면 그게 더 이상한 일이리라.

두두두!

"움직여! 서둘러라!"

멀리서 인기척과 함께, 한 무리의 사람들이 접근하는 게 느껴진다.

마나를 느낄 수 없어 기감을 다룰 수 없었지만 600포인트가 넘는 민첩이 선사하는 감각은 그 어떤 생물보다 민감하고 정확하다.

"우, 움직이지 말라고 했어! 너 이거, 뭔지 모르는 모양인데 내가 방아쇠만 당기면……."

빽빽거리는 소녀를 무시하며 랜드웜의 머리에서 내려온다.

철컥!

랜드웜의 이마가 닫히자 소녀가 기겁하는 모습이 보인다.

"아, 아니 이게 뭐야. 뭐 저런 신체 기관이 다 있지?"

그녀가 당황하는 사이 인기척의 주인들이 마침내 모습을 드러낸다.

척! 척! 척!

좁은 지하도로를 따라 수십 명의 병사가 모습을 드러낸다.

소녀의 모습을 보고 혹시 전열보병(戰列步兵) 부대 같은 게 나오지 않을까 싶었는데 소녀와 달리 그들은 작은 석궁과 방패로 무장하고 있다.

"꼼짝 마라 인간! 도대체 이곳에는 어떻게 들어온 거지?"

"손 들어! 허튼짓하면 쏴 버리겠다!"

사나운 함성이 터져 나온다. 나는 그들을 내려다보며 손뼉을 쳤다.

"아! 드워프들이었구나."

이제 보니 맨 처음 내게 총을 겨눴던 소녀 역시 소녀가 아니라 드워프 여인이다. 드워프라면 턱수염이라도 났을 줄 알았는데 이렇게 보니 인간 여자아이로밖에 보이지 않는다.

한편 아랑곳하지 않는 내 모습에 드워프들은 화가 난

듯하다.

"허튼짓하면 쏴 버린다니까!"

"손 들라고!"

고함을 치며 위협적으로 석궁을 겨눈다. 그 모습에 랜드웜이 슥 고개를 내밀었다.

[뭐야, 그만 가? 아니면 이대로 밀어?]

"히익!? 마, 말했어!"

"으아악!"

"저게 뭐야!? 저게 뭐야!?"

신화급 펫의 위용에, 드워프들이 자지러졌다.

그들 중 몇은 얼마나 놀랐는지 들고 있던 석궁을 떨어뜨리기까지 했다.

떨어지며 격발 장치가 작동했는지.

퍽! 퍽!

그중 두 발은 근처에 있던 바위에 박히고.

팅! 팅! 팅!

랜드웜에게 날아간 세 발은 비늘에 흠집조차 못 내고 튕겨 나간다.

탁.

그리고 마지막 한 발은 내 손에 잡혔다.

"속도가 제법이네. 위력도 상당하고. 기계식 석궁인가."

볼트의 촉을 잡아 꺾어 보았다.

끼이익!

휘어진다. 화살촉이 깨지지 않고 휘어진다는 사실은 꽤 중요한 걸 의미했다.

“오, 촉을 강철로 만들었네? 대단한 기술력인걸.”

“너, 너, 너 뭐야? 지금 볼트를 손으로 잡은 거야?”

“아니, 합금 화살촉을 무슨 찰흙처럼…….”

기막혀하는 드워프들에게 묻는다.

“이쯤이면 대수림 근처 아닌가? 왜 엘프가 아니라 드워프가 있지?”

“그 전에 정체를 밝혀! 넌 누구지? 저 이상한……. 괴물? 탑승물? 하여튼 저건 뭐야? 어떻게 인간이 여기까지 온 거야?”

총을 든 소녀가 앞으로 나선다.

반응한 건 랜드웜이었다.

[왁!]

“히이이익!!”

타타탕!

총알이 쏟아진다. 이번엔 나에게 쏜 건 아니고 다 천장에 날아가 박혔다.

“이런, 너무 놀리지 마.”

[이것들이 자꾸 날 못 본 척하잖아? 내가 이 쪼그만 것들을 못 볼 수는 있어도 이것들이 날 못 본다는 게 말이 돼?]

투덜거리는 랜드웜을 뒤로한 채 소녀가 들고 있는 총기

를 확인한다.

'그나저나 연사라…….'

기껏해야 머스킷 정도라고 생각했는데 거의 소총에 가까운 물건.

드워프가 손재주가 좋은 건 사실이지만 이건 상식을 벗어나는 결과다. 갑자기 시대를 100년쯤 뛰어넘은 거나 다름없었다.

탁.

넘어진 소녀에게서 소총을 빼앗아 든다.

"오. 제법 그럴싸한데. 좀 투박하긴 해도……."

철컥철컥!

"앗!! 도, 돌려줘!"

소녀가 소리치거나 말거나 고정 핀을 뽑아 총기를 분해해 본다. 장전 손잡이에 노리쇠뭉치, 피스톤에 탄창까지 있을 건 다 있다.

다만 규격이 제멋대로인 걸 보니 아직 개발 과정인 모양.

거기에 특이점이 있었다.

"어라? 이거 5.56mm탄이잖아?"

역사와 전통의 규격이다.

대한민국에서 사용하는 개인 화기들은 아직도 이 녀석들을 쓴다. 부품과 탄환에 술식을 새기느냐 안 새기느냐 차이지 화기들의 구조는 본질적으로 큰 차이가 없다.

플라즈마 라이플이나 레일 건 등은 아예 규격이 다르니 상관없는 일이고.

"야!! 돌려 달라니까!! 너, 너 그게 얼마나 귀한 건 줄 알아?! 넌 지금 크리스털 연맹의 최신 군사 기술을 염탐하고 있는 거야!!"

빽빽 소리 지르는 소녀의 모습에 문득 장난기가 피어오른다.

"이게 최신 군사 기술이라고? 장난감처럼 보이는데."

"뭐? 너 그게 얼마나 무시무시한 신무기인지……."

"어디 보자."

촤락! 철컥!

총기를 순식간에 조립한다.

지구의 첨단 총화기와는 많은 부분에서 다른 무기지만 아르데니아에서 총기 좀 만들어 보려고 아등바등한 경험이 있던 만큼 어렵지 않았다.

그리고 그렇게 조립을 마친 후, 나는 그 소총으로 내 머리를 겨눴다. 드워프들에게 맞춰 제작된 사이즈였기에 크기도 딱 적당하다.

"어? 어어?? 너 지금 무슨 짓……."

"자, 장난하는 거지? 멈춰!!"

"이 멍청한 노……."

드워프들이 경악하거나 말거나 그대로 방아쇠를 당긴다.

탕!

"꺄악!!"

드워프 여인이 눈을 질끈 감는다. 다른 드워프들 역시 당혹스러워하는 걸 보니 소총의 위력이 꽤 알려져 있는 모양.

그러나 내 머리통이 박살 나는 일은 당연히 없었다.

팅~!

찌그러진 납탄이 바닥을 구른다.

나는 신기해서 물었다.

"이건 또 강철이 아니고 납탄이네. 5.56mm 규격도 그렇고……. 이거 너희가 만든 게 아니지? 하긴 크리스탈 연맹에서 기관총을 가지고 있었으면 제국이고 나발이고 다 연맹이 밀어 버렸을 테니."

"……."

"……."

"……."

모두가 멍한 표정으로 날 바라보고 있다.

나는 피식 웃으며 말했다.

"돌아가, 랜드웜."

팟!

휘오오오!!!

"으악!"

"읏……."

기어 다니던 빌딩이 한순간에 사라지자 지하에 돌풍이 휘몰아친다.

그리고 돌풍이 가라앉은 후에는.

"아……."

"저건."

"맙소사."

랜드웜에 가려져 있던 거대한 터널이 모습을 드러낸다.

"소개가 너무 늦었네. 인류제국의 황제 한재연이다."

"한재연?"

"한재연……."

"한재연!"

어째선지 인류제국의 황제라는 휘황찬란한 명칭보다 내 이름 자체에 놀라는 모양새.

그들을 대표해 소녀가 소리친다.

"알림글에 맨날 뜨는 바로 그 이름이잖아!"

"……알림글?"

"허공에 떠오르는 글자 말이야."

'아, 월드 메시지 말이구먼.'

아무래도 크리스털 연맹에서 사용하는 명칭인 모양이다.

'나름의 방식으로 시스템에 적응하고 있는 모양이군.'

하기야, 지금 이 녀석이 쓰는 탄환만 해도 그렇다.

[5.56mm NATO탄(일반)]

'탄환이 드랍된다……. 그렇군. 이계의 엘프 사수(희귀) 인가.'

아무래도 이 녀석들 몬스터를 상대로 역설계를 시도하고 있는 모양이다.

"무기 내려. 그게 먹힐 상대도 아닌 듯하니."

"아이템 획득 메시지가 쏟아지는 걸 보고 괴물일 거라고는 예상했지만…… 이건 정말 상상을 넘어서는군. 플레이트도 관통하는 탄환을 맨몸으로……."

드워프들이 크로스 보우에서 볼트를 뺀 후 팽팽하게 당겨 있던 활줄을 풀었다.

완전히 질린 모습을 보아하니 더 이상의 적대 행위를 할 생각은 없는 모양이다.

"강철모루 가문의 기술자 헬라인이야. 만나서 반가워. 한재연……. 아니, 황제 폐하라고 해야 하나?"

"아무래도 좋다. 그나저나 여긴 어디지? 설마 이 깊이에서 누군가를 만날 줄은 몰랐는데."

"아니, 난데없이 나타나서 난장을 쳐 놓고는 어디냐는 건 무슨 소리야? 갑자기 땅이 흔들려서 우리는 광산이 무너지는 줄 알았어!!"

"광산이었군. 하기야 이만큼 파고들 일이 달리 없긴 하겠지."

나는 녀석들을 지나쳐 갱도의 상태를 확인했다. 그 크기가 드워프 녀석들에게 맞춰져 있었기에 천장이 너무 낮다.

“내 말 듣고 있는 거야? 네가 여길 찾아봐서…….”

“나는 여길 찾아온 게 아니다. 여기는 지나던 길이었을 뿐이지.”

미니맵을 확인해 보니 내 머리 위에 착점이 하나 있었다.

화점을 목표로 하고 있었기에 그냥 지나칠 장소였는데 이렇게 멈춰 서게 된 것이다.

“지나가던…… 길?”

“그래. 대수림의 화점…… 아니, 용맥까지 갈 생각이었지.”

내 말에 헬라인이 황당하다는 표정을 지었다.

“대수림의 용맥은 여기서도 한참 남쪽이야. 그런데 지나가던 길이라니……. 아니, 잠깐만.”

헬라임은 내게서 고개를 돌려 거대한, 빛이라고는 한 점도 보이지 않는 터널을 바라보았다.

“이 터널…… 대체 어디까지 연결된 거야?”

“바람막이 고원.”

나 역시 검은 터널을 바라보았다.

지하철 정도가 아니라 빌딩도 오갈 수 있는 거대한 터널을.

"즉, 이 대륙의 끝까지 연결되어 있다."

직선 길이 1,000km도 넘는 장대한 도로가 그곳에 있었다.

"자, 잠깐만 헬라임. 이, 이만한 규모의 터널이 멀리까지 나 있다면……."

"이 넓이면 연맹 전부가 이용해도 충분할 정도잖아?"

"아니, 잠깐잠깐! 그보다!"

헬라임이 술렁거리는 드워프들을 침묵시키고 마구 삿대질한다.

"그, 그러고 보니 아까 그거 뭐야? 아, 아니 무슨 벽처럼 보였는데……. 설마 그게 머리였어? 이만한 굴을 팔 수 있는 괴물이 세상에 존재한다고?"

그녀의 말에 드워프들의 얼굴도 창백해진다.

"아니 잠깐 아까 그거 골렘 같은 거 아니었나?!"

"그러고 보니 말도 했어……!"

"그 튀어나온 부분이 아니라 전체가 다 몸이었다고?!"

뒤늦게 비명을 질러 댄다. 아까 그렇게 자지러진 것조차 제대로 현실을 인식하지 못한 결과의 반영이었다.

'하기야 랜드웜이 크긴 하지.'

랜드웜은 거대하다.

그냥 큰 정도가 아니다. [누워서 기어 다니는 고층 빌딩]에 가까운 녀석의 사이즈는 멀리서 보면 원근감을 상실시키고 가까이에서 보면 현실감을 상실시키는 종류의 것.

자기가 통과할 만한 터널을 만들며 전진하는 녀석의 머리통만 보면 그냥 벽으로 보일 뿐이니, 측면도 아니고 정면에서 녀석이 [뱀]의 형태를 가진 생명체라고 짐작하기는 어려울 것이다.

"살아 움직이는 굴착기지."

"산보다 거대한 것. 심연보다 깊은 것……."

"그야말로 온 세상을 집어삼킬 재앙이로구나……. 아니 진짜로?"

"그것도 봤나. 하기야 월드 메시지니 당연하겠군."

랜드웜 소환 문구에 피식 웃으며 앞으로 나선다. 드워프 사이즈의 갱도는 너무 낮았지만 허리를 숙이니 충분히 지나갈 수 있었다.

"……인간?"

"뭐야. 어째서 여기에 인간이……."

한참 걸어 올라가자 꽤 널찍한 공간이 나온다. 내 모습을 발견한 드워프, 수인족, 그리고 엘프들이 멍한 표정을 짓는다.

그러나 헬라임 녀석과 달리 총기를 겨눈다거나 적의를 드러내거나 하지는 않는다.

'그럴 기운도 없어 보이는군.'

계속 나아간다.

"야, 야! 잠깐만 기다려!"

"그렇게 마음대로 돌아다니면……."

헬라임과 드워프 전사들이 내 뒤를 쫓아왔지만 그렇다고 발걸음을 막지는 못한다. 이미 현격한 힘 차이를 느꼈기 때문일 것이다.

후우웅-!

"윽! 무슨 바람이 갑자기 이렇게……. 어? 인간?"

"인간이다."

"난데없이 여기에 어떻게 인간이."

내가 계속 이동하자 술렁거림이 점점 커진다. 그러나 그러거나 말거나 나는 계속 걸어 마침내 커다란 입구를 통과했다.

입구 너머에는 지금까지와 차원이 다른 넓이의 공간이 있었다.

"워……. 이 정도면 거의 지하 도시라도 해도 무방하겠군."

수십 수백 채의 건물들과 사방에 나 있는 구멍들이 보인다. 랜드웜이 이곳에 구멍을 뚫으며 발생한 땅 울림에 위기감을 느낀 듯 구멍에서 수많은 아인족이 슬금슬금 밖으로 나오고 있는 상황.

'거지 떼가 따로 없군.'

언뜻 봐도 그들의 상태가 영 좋아 보이지 않는다. 얼마나 굶었는지 피골이 상접하고 지하에서만 지내서인지 안색도 좋지 않다.

토끼, 멧돼지, 사슴 등등의 수인족 역시 여기저기 부분

탈모가 일어나 그 모습이 형편없는 상태다.

"이곳은…… 크리스털 연맹 최대 철광 생산지야. 전성기에는 1만이 넘는 인부들이 상주하기도 했지."

내 발걸음을 막는 걸 포기한 헬라임의 설명에 주변을 둘러보며 말했다.

"지금은 그 전성기 때보다도 많은 모양인데."

내 말에 테라가 쓰게 웃었다.

"당연하지. 원래 거주하던 인원에 지상에 살던 드워프, 수인족, 심지어 엘프들까지 이곳에 들어오게 되었으니까……. 추정이지만 10만도 넘을걸."

가득 차 있는 피난민들 때문에 채굴장은 그 거대한 규모에도 너무나 비좁고 불결해 보였다. 극심한 식량난에 시달리고 흙먼지로 뒤덮인 아인들의 얼굴엔 희망이 없다.

솔직히 내 입장에선 1년도 훨씬 넘는 시간 동안 이 정도 숫자가 살아 있는 게 오히려 신기해 보인다.

"인간! 뭐야! 헬라임, 어째서 여기에 인간을 데려온 거냐!"

그때 아인들 사이에서 한 무리의 수인들이 모습을 드러낸다.

"오, 웨어울프다."

"너! 인간! 뭘 노리고 여기까지 찾아온 거야! 아니, 그보다 대체 여길 어떻게 들어온 거지? 밖에는 가짜 엘프 년들이 있을 텐데!"

"가짜 엘프? 아, 이계의 엘프 사수가 바로 위에 있나 보네."

"너 뭐야? 내 말을 무시하는 거냐!"

흥분한 늑대 수인이 와락 내 멱살을 잡는다. 정확히는 잡으려고 했다.

턱.

"어?"

손과 손이 맞닿는 순간 늑대 수인의 표정이 급변했다.

힘쓰는 사람들은 서로 손만 잡아 봐도 안다.

"어, 어어어……."

살기등등하게 달려왔던 늑대 수인이 주춤주춤 뒤로 물러선다. 빳빳하게 서 있던 털이 가라앉고 털이 숭숭 빠진 녀석의 꼬리가 바닥으로 추욱 처진다.

내가 성큼 다가서자 버티지 못하고 주저앉기까지 한다.

"그래그래. 착하지."

머리를 쓰다듬어도 감히 항변조차 하지 못한다. 녀석을 따라왔던 수인족들이 당황한다.

"누, 누님? 괜찮으신 겁니까?"

"갑자기 왜 그러십니까?"

우두머리가 풀이 죽어 버리자 녀석을 뒤따르던 수인족들 역시 어쩔 줄 몰라 헤맸다. 나는 그러거나 말거나 수인들을 둘러보았다.

느닷없이 나타난 인간. 그리고 소란스럽게 등장한 수인들과의 소란 때문에 수천이 넘는 눈이 나를 향해 집중된 상태.

"하. 이 짓을 또 해야 하네."

나는 쓰게 웃으며 인벤토리를 열었다.

다행히 물량은 충분하다. 부캐들 중 10개가 바람막이 고원에 있으니 당연한 일이다.

퍽! 퍽! 퍽! 퍽!

뼈 장검 네 개를 꺼내 바닥에 박았다. 그리고 나무판자를 꺼내 그 위에 올려 간이 테이블을 만들었다.

그리고 거기에 올려놓았다.

턱.

15킬로그램도 넘는 멧돼지 뒷다리를.

"……어?"

"……고기?"

나를 멍하니 바라보고 있던 시선이 희번덕 빛난다. 나는 그들이 술렁이기도 전에 서둘러 움직였다.

턱! 턱! 턱! 턱!

턱! 턱! 턱! 턱!

테이블에 멧돼지 뒷다리가 가득 쌓인다. 허공에서 끝도 없이 튀어나오는 뒷다리의 모습을 모두가 넋을 잃고 바라보았다.

이게 현실인지 환상인지도 구분이 안 가는 표정들이다.

"뭘 빤히 보고 있어?"

"어……. 어?"

멍한 표정의 헬라임을 불렀다.

"불 피워."

"어, 어? 응! 아, 아니. 네! 넵!!"

허둥지둥 움직이기 시작하는 헬라임을 뒤로하고 아인족들을 돌아보았다.

"일단 좀 먹고 하죠."

식사 시간이었다.

지하 도시에 가까운 규모를 가진 채굴장, [티타니움]에 연기가 자욱하다.

퀴퀴하던 지하에는 어느새 고기 냄새가 진동하고 있었다.

"맛있어…… 흑…… 흑흑……."

"아가야 좀 더 먹으렴."

"배불러요…… 헤헤……."

초반 고기가 모자랄지도 모른다는 생각 때문에 서로 눈치 보던 아인족들은 문자 그대로 끝도 없이 나오는 멧돼지 다리 덕분에 마음껏 식사를 즐기고 있다.

드워프도, 수인족들도, 심지어 채식을 즐긴다는 엘프들까지 정신없이 고기를 뜯고 있는 모습은 나름대로 장관이다.

"로그아웃."

그리고 그렇게 식사를 즐기는 아인들 옆에서 나는 마도전서를 읽었다.

“아, 쓰레기 같은 주문 많기도 하지…….”

나는 방금 보았던 페이지의 내용을 타이핑했다. 그냥 한 페이지를 기억했다 옮겨 쓰면 그만인 다른 책과 달리 마도전서를 옮겨 쓰는 일은 그리 쉽지 않다.

“아…… 머리 아프네.”

기본적으로 특수 기호가 너무 많고 도형이나 문양도 수천수만 개 이상이다.

심지어 어떤 페이지는 그림으로만 이루어져 있어서 옮겨 그리는 데 시간을 엄청나게 잡아먹었다.

“로그인.”

아르데니아로 들어간다. 마도전서를 읽고 있는 내 곁으로 헬라임이 다가온다. 나는 인벤토리에 손을 넣어 뒷다리를 꺼내 들었다.

“자, 잠깐. 고기 떨어졌다고 온 거 아냐! 아니 그보다 대체 얼마나 꺼낼 수 있는 거야?”

헬라임은 약간 질린 얼굴이었다. 처음에는 무슨 속임수를, 그다음은 마법을, 그다음은 기적을 목도한 표정을 짓더니 이건 또 새로운 표정이다.

“양이 부족할 일은 없을 거다. 겨우 약간의 노력과 소모가 있으니까.”

“……소모가 있구나.”

"당연한 일 아닌가?"

아닌 게 아니라 과금력이 줄어들었다.

'뭐, 그래도 감당하기 어려운 수준은 아니다.'

하기야 10만 원짜리 투사의 장검(희귀)도 드랍으로 획득하면 과금력은 고작 90원이 깎일 뿐이었다. 가치랄 게 거의 없는 멧돼지 뒷다리(재료)는 더 말할 필요도 없겠지.

물론 한두 명도 아니고 10만 명을 먹이는 데 들어간 양은 실로 어마어마했지만.

'과금력이 마이너스 3만 3천. 국밥 일곱 그릇으로, 10만 명을 배불리 먹을 있다면 이득이지.'

"아니 아무리 그래도 그렇지 10만 명이 배터지게 먹도록 꺼낼 수 있다니……."

꽉 채워 놓았던 인벤토리는 빈자리가 꽤 많이 보였다. 아무리 비축분이 많아도 10만 명을 배불리 먹일 정도일 리 없지 않은가?

내가 식사 중인 아인들 바로 옆에서 마도전서를 읽고 있는 것 또한 그런 이유이다.

턱! 턱! 턱!

테이블 위에 고기를 올려 두자 헬라인이 손을 흔든다.

"이, 이제 괜찮아! 아직 있는 것도 다 안 먹었어!"

그녀의 말에 눈살을 찌푸린다.

"배부르면 다냐? 비축을 해야 할 거 아냐?"

"아!"
"육포를 만들든 뭘 하든 두고두고 먹을 수 있게 만들어 놔."
그렇게 말한 뒤 다시 마도전서를 읽는다.
"오오. 세상에 비축분까지……."
"그런데 저 사람 대체 누구야? 성자님?"
"아무리 성자라도 이런 일을 할 수는 없어. 강림한 신인가? 아니면 전설의 드래곤……?"
수군거리거나 말거나 마법서를 읽는다.
"로그아웃."
지구로 돌아가 읽었던 내용을 옮겨 쓴 뒤 옆에 누워 있던 체다의 배를 두들긴다.
킬리언스팔팔이 열심히 멧돼지를 쓸어 버리고 있다.

↳부캐중의부캐 : 멧돼지 다 처죽이네. 아니 대체 왜 바람막이 고원에서 신화 캐릭터가 사냥을 하고 있는 거야?
↳켄지 : 꽤 오래되었어요. 저분 부캐로 여기서 계속 사냥한다고 하더라고요.
↳부캐중의부캐 : 아니 저 정도 세면 가죽 파밍도 다른 데서 하는 게 이득일 텐데……
↳켄지 : 심지어 도시도 안 가고 사냥만 합니다. 포션은 안 먹고 무기는 여기서 드랍되는 뼈 장검 쓰고…….
↳부캐중의부캐 : 아니 아무리 그래도 줍는 템이 있을

거 아니에요? 진짜 소문대로 삭제하나?

다른 캐릭터들이 궁시렁거리거나 말거나 무기를 교체하고 인벤토리를 정리한다.

계속 꺼내고 있는 고기와 다르게 뼈 단검(일반). 뼈 장검(일반), 가죽 방패(일반)는 굳이 이곳에서 꺼내지 않고 있었기에 결국 인벤토리가 꽉 차고 만다.

"그럼 다음 캐릭터……."

킬리언스팔팔에서 로그아웃 한 뒤 킬리언스팔구로 로그인한 뒤 사냥을 이어 나간다.

↳부캐중의부캐 : 와 킬리언스팔구. 아까 팔팔이었죠? 부캐가 대체 몇 개여…… 아니 부캐를 왜 이렇게 많이 만듦? 무슨 의미가?

리벤지에서 부캐릭터는 2~4개 정도면 딱 적당하다. 어차피 클래스, 펫, 수호령 심지어 컬렉션까지 공유이기 때문에 색다른 스텟이나 장비를 맞춰 볼 몇 개 정도면 충분하기 때문.

그러나 내 경우에는 상황이 다르다.

"인벤이 딸려서 그래, 인벤이 자식아."

언제든 리벤지의 인벤토리에서 아이템을 꺼낼 수 있는 내 입장에서 부캐는 많을수록 좋다.

지금 멧돼지 고기를 나눠 주며 남은 장비들 역시 언젠가 쓸 일이 생길 것이다.

"로그인."

아르데니아로 이동한다. 그리고 파밍한 고기들을 꺼내 두었다.

"저, 저기. 가져가겠습니다."

"그래."

내 말에 주춤주춤 다가온 야성적인 외모의 여인이 꾸벅 고개를 숙인다.

"감사합니다! 그, 그리고 아까는 죄송했습니다."

"아까?"

"저기 아까 그 늑대…… 긴 다리라고 합니다."

'긴 다리…… 뭔 이름이 이래.'

그러나 잘 생각해 보니 내 영지 인간 놈들도 이름이 빅핸드 핸섬맨 이 모양이다. 그냥 영어냐 한글이냐 차이일 뿐 거기서 거기.

어쨌든 나는 상대방이 누군지 알아볼 수 있었다. 아까 본 웨어울프인 모양인데 수화(獸化)를 풀고 찾아온 것.

난 피식 웃었다.

"아, 그 깡패구만."

"아, 아닙니다! 전 크리스털 연맹의 수석 레인저이자 자경단장으로……!"

"알았으니 고기나 구워."

"네……."

긴 다리가 시무룩한 표정으로 멀어질 때였다.

지잉.

테이블 위에 올려 두었던 패드가 진동한다. 화면을 터치하자 수락된 영상 통화에서 플라워의 모습이 떠오른다.

[정기 보고입니다.]

"그래. 특이 사항은 없고?"

[기가스 제작 재료가 다 떨어졌습니다.]

"아, 결국 그렇게 되었구먼."

기가스 제작은 시간도 시간이지만 다이아를 비롯한 다량의 재료가 들어간다.

'공성 오브젝트 주제에 멋지다는 이유 하나로 너무 비싸단 말이지. 사냥에는 쓸 수도 없는 것들이…….'

아직 과금력의 존재를 몰랐을 때 개념 없이 부었던 다이아와 거래소에서 내키는 대로 샀던 자재들이 바닥을 드러냈다. 원래 계획대로라면 다시 채워서 생산을 계속해야 하지만, 당연히 지금은 그럴 생각이 없다.

단순히 과금력이 딸려서만이 아니다.

"지금까지 확보된 파일럿이 몇이지?"

[기급 기가스 24명, 수급 기가스는 없습니다. 모든 군인을 대상으로 테스트 중이고 지원자도 많긴 합니다만…….]

"아, 왜 이런 건 현실을 따라가고 난리야."

현대 문명의 정수, 기가스는 아무나 탈 수 있는 물건이 아니다.

기가스는 강철의 심장, 아이언 하트에 의해 기동하고 파일럿은 거기에 동조할 만한 영적인 적성이 필요하다.

'사실 나도 이게 안 되었지.'

저주나 다름없는 폐급 마나 적성 때문에 잠시 기가스 쪽을 알아본 적이 있다.

'마나 좀 못 다루면 어때! 현대전은 기가스다!'

대충 그런 느낌이랄까.

그러나 그 결과는 최악으로 아이언 하트는 내 존재를 인지조차 못했다. 기가스를 타기 위해 이민자들이나 한다는 입대까지 했던 내게는 청천벽력 같은 소리였다.

내가 한층 더 삐뚤어지기 시작한 이유이기도 하다.

"차라리 아이언 하트가 없는 기계식 기가스면 나을 텐데."

특히 게임 마스터가 초기에 생산했다는 라이트닝 하트 기반의 기가스들은 문자 그대로 [사람이면 탈 수 있는] 범용성을 가지고 있다.

'물론 그만큼 약하지. 아이언 하트가 괜히 대우주 최신 기술인 게 아니니까.'

비싼 가격?

까다로운 적합성?

어차피 게임인데 다 무슨 상관이란 말인가?

굳이 구세대 기가스를 놓을 이유가 없던 개발진은 [기가스 공장]에서 생산되는 기가스 전부를 최신예기로 세팅해 두었다. 모조리. 깡그리 다.

양산형이라고 할 수 있는 기급마저 아이언 하트 기반의 기가스다.

그 덕분이랄지 때문이랄지……. 인류제국은 기가스가 아니라 조종사가 없는 게 문제인 상황에 처하고 말았다.

"뭐, 좋게 생각하면 기가스 생산이 급하지 않게 되었군. 일단 성공한 녀석들을 기가스 체험관에서 매일 10시간씩 훈련시켜. 실제 기가스에 태워서 실전 훈련도 꾸준히 시키고. 한 달 후 내가 직접 살필 거라고 해."

[네, 폐하.]

플라워의 대답을 듣다 보니 문득 떠오르는 게 있었다.

"공모전은 잘 진행되고 있어?"

[아직 접수는 많지 않습니다만, 엄청난 관심을 끌고 있습니다.]

"하기야 상품이 상품이니까."

좀 지나친 상품이지만 이렇게 지나치게 해야 어그로를 끌 수 있다. 그리고 그렇게 아르데니아에 문화가 싹튼다면 그것은 고스란히 인류제국의 역량이 되어 지속적인 작품 생산에 이바지할 것이다.

'그래, 공장장이 되어 보는 거야.'

그리고 공장에서 벌어들이는 수익 모두가 내 것이다.

"그럼 수고해."

[네, 폐하.]

통화를 끝내고 옆에 기대 놓았던 마도전서를 펼쳤다.

쉴 시간 따위는 없다.

"로그아웃."

지구로 넘어가 마도전서를 옮겨 쓴다.

작업은 순조롭다. 가끔 내가 잘 모르는 개념이 나오곤 했지만, 그래 봤자 공개된 논문을 뒤지는 것만으로 다 찾을 수 있었다.

그래도 도저히 모를 내용은 인터넷에 질문글을 올려 해결했다.

ㄴ 에플렘 법칙이 궁금하시구나. 그거 겁.나.어.렵.습.니.다!

ㄴ 그 어려운 걸 내가 알려 주겠다는 거잖아!

ㄴ 마나의 최소 단위가 있다고 생각해 보세요. 그렇다면 그 형태는……

ㄴ 제가 답변하고 있잖아요! 왜 중간에 끼어드세요?

34지구 마법계는 고인물판이라 답변이 엄청나게 빨리 달린다. 아르데니아에서는 지키기 위해 부모자식이 서로를 살해할 지식을 34지구에서는 서로 못 가르쳐 줘 안달이다.

"아이고 머리 아파. 그래도 거의 다 해 간다……."

어느새 마도전서의 80%를 옮겨 쓰는 데 성공했다. 모든 작업이 순조롭다.

다만 불안감은 있었다.

"아, 생각보다 시간이 너무 걸리네."

그냥 단순히 옮겨 쓰면 그만인 다른 책들과 달리 어느 정도의 이해가 필요한 마도전서는 지구에서의 시간이 너무나 많이 소모된다.

그야말로 물 흐르듯 흐르는 시간.

덕분에 리벤지 자동 사냥을 돌릴 수 있는 시간도 많아져 아인족들에게 고기를 맘껏 나눠 줄 수 있었지만 문제는 그게 아니다.

"리벤지 서비스 종료하면 안 되는데……."

수익은 계속 늘고 있다. 마도전서를 완성해 후원까지 받으면 마이너 된 과금력을 플러스로 바꿀 수 있겠지.

그리고 그렇게 되면 돈 벌 수단이 더 늘어난다.

'우주 용병을 뛸 수 있으니까.'

저작권은 저작권대로 받아 챙기면서 우주 용병도 뛰면 지금과 비교할 수 없는 수준의 벌이를 유지할 수 있다. 지금으로서는 가장 완벽한 계획.

그러나 그 모든 계획도 리벤지가 사라지면 무용지물이다.

'일단 리벤지가 사라지면 어떻게 될지부터가 불명확하다.'

앞으로 게임 아이템을 얻을 수 없는 정도라면 그나마 괜찮은 편이지만.

만약 내게 적용된 게임 시스템 전부가 사라져 버린다면?

"그건…… 안 돼."

맘 같아서는 스카이 소프트에 쳐들어가서 샤이닝을 겁박이라도 하고 싶다. 내 힘이 강해지면 강해질수록 그런 욕구가 점점 커져 갔다.

그러나 내가 중세 랜드에서나 황제지 지구에서는 그냥 시민 1.

함부로 설치면 내가 갈 곳은 교도소뿐이다.

'사실 힘으로도 안 되긴 하지.'

그래, 힘으로도 안 된다. 게임사 대표인 샤이닝은 9클래스의 대마법사가 아니던가?

그는 내가 지고의 깨달음을 얻어 초월지경에 올라도 만만치 않은 상대다.

"하…… 재수 없으면 지구 시간 멈추고 여기에서 영영 살아야 하는데……."

중얼거리며 오랜만에 주식 앱을 켜 네메시스를 확인한다.

네메시스 - 35,113,110원(-2,233,500원)↓

"와. 거의 4천만 원 가까이 갔었구…… 어라?"

파란색. 아래를 향하는 화살표.

조금 떨어진 정도도 아니다. 단 한 주의 주식도 가지고 있지 않았기에 몰랐지만, 전일대비 마이너스 200만 원이면 거의 폭락이나 다름없다.

"자, 잠깐. 잠깐만. 이게…… 뭘 뜻하는 거지?"

머리가 어질어질하다. 이게 좋은 일인지 나쁜 일인지 판단되지 않아 혼란스럽다.

얼른 인터넷을 뒤진다.

일단 리벤지 팬 사이트에 들어갔는데 반응이 뜨뜻미지근하다. (경축)이라는 제목도 보이지만 욕설도 가득해 정확한 상황을 파악하기 어려웠다.

때문에 게임 전반을 다루는 사이트에 찾아 들어갔다.

그리고 보았다.

ㄴ **와 이걸 사네.**

ㄴ **이걸사네(2)**

ㄴ **사네이걸(3)**

ㄴ **사네걸이(4)**

ㄴ **사걸이네(5)**

안타까워하는 게시물들의 모습에 나도 모르게 웃음이 터져 나온다. 지금까지 그 사이트에서 리벤지를 다루던 분위기를 생각해 보면 게시물들이 말하는 바는 명확하다.

"하, 하하! 이걸…… 이걸 사네!"

바로, 내가 살았다는 뜻이었다.

가산을 팔아 자금을 마련하고 발로 뛰어 백기사를 모은 배사랑 대표의 노력 덕에.

그리고 거기에 더해 재연이 일으킨 주식 트레이드 물결에 호응한 개인 투자자가 많았던 덕에 네메시스 소프트는 놀라울 정도로 분전할 수 있었다.

그러나 그럼에도 절대적으로 불리한 싸움이다.

이미 상당량의 주식을 쥐고 있는 대형 투자자와 기업투자자. 흔히 말하는 [큰손]들이 그녀의 편을 들어 주지 않았기 때문이다.

그러나 어느 순간.

흐름이 바뀌기 시작했다.

"회장님께서 지지를 약조하셨습니다. 겸사겸사 쥐고 있었던 주식이지만 그래도 8% 정도는 되더군요."

"……별일이네. 인제 와서 인정에 휘둘리시기라도 한 거야?"

"그럴 리 없다는 걸 알고 계시지 않습니까?"

"……."

일성 기업의 비서실장 기담의 말에 사랑은 대꾸하지 못했다. 맞는 말이다.

그녀의 친부가 끝끝내 초월의 경지에 이르지 못했음에도 34지구 1위의 부호 자리를 유지할 수 있었던 것은 명확한 기준에 따라 움직이는 그의 경영 철학 때문이었으니까.
그러나 그건 시작일 뿐이었다.
"가주님께서 아가씨를 지지하기로……."
"대표님의 전언입니다. 저희는……."
"지지자 명단입니다. 대표님."
모든 게 갑자기 해결되기 시작했다.
"아니…… 대체 이게 무슨 상황이지?"
그 수혜자인 사람마저도 어안이 벙벙할 지경이었으니.

"아니!"
그 반대편에 있을 상대의 마음이 어떨지는 안 봐도 뻔하다.
"아니, 이게 대체 뭐야? 아오---!"
사옥 전체를 울리는 노호성에 직원들이 숙덕거린다.
"대표님 왜 이리 빡치셨어?"
"네메시스 소프트 합병하는 데 실패했대."
"헉. 진짜? 아니 왜? 거의 다 된 거 아니었나?"
"몰라. 갑자기 큰손들이 발을 빼기 시작했나 봐."
"설마 대표님 작업당한 거야?"
"그럴 리가 있겠어? 대표님 명예신의 사도이자 진실신의 사제야. 거기에 대마법사이기까지 한데."
어마어마한 재화와 노력이 들어간 프로젝트의 실패였지만 직원들은 크게 개의치 않는 분위기였다. 스카이 소프트는 자신의 위치에서 그 역할만 확실하게 수행하면 그 외의 영역은 터치하지 않는 분위기였기 때문이다.

물론 샤이닝 개인은 화가 난 상태겠지만 그 역시 화풀이를 아랫사람에게 하는 못난이가 아니다.

“사실 그렇게 잘나가던 네메시스를 인수 합병하려던 게 여러모로 무리한 일이었지. 솔직히 여기까지 밀어붙인 게 오히려 신기해.”

“VIP들 사이에서는 우리가 모르던 이슈라도 있었나?”

과연 그러했다.

“와아아앙! 왜! 왜냐고! 한 달! 아니 보름! 아니! 일주일만 더 늦었어도 됐는데 왜!”

샤이닝이 버럭 소리 지른다.

“아니 왜 갑자기 예지 범위에 들어왔냐고!! 이럴 거면 왜 사라졌던 건데!?”

“대표님. 보기 추하니까 자리에 앉으세요.”

“너 입 닥쳐! 너 나 지금 동정해? 하! 젠장 되는 일이 하나도 없어.”

“무슨 패러디인지 하나도 모르겠고 재미도 없으니까 하지 마세요. 그리고 자리에 앉아서 술식이나 짜세요. 내일까지 궁극 마법 2개 넣으셔야 합니다.”

비서의 단호한 목소리에 샤이닝의 얼굴이 울상이 되었다.

“용용아! 너무한 것 아니니? 아빠가 이렇게 속상해하는데!”

또 버럭 소리친다. 그러나 초월자의 외침에 얻어맞았음에도 새파란 머리칼의 비서는 눈썹 하나 까닥하지 않는다. 사무실이라는 공간과 전혀 어울리지 않는 화려한 드레스를 입은 그녀는 고개조차 돌리지 않은 채 3차원 디스플레이에 작업을 진행 중이다.

"일단."

틱!

기계적으로 진행 상황을 세이브한 드레스의 여인이 말한다.

"제 이름은 용용이가 아닙니다. 위대한 블루 일족의 앤서지요. 그리고 당신은 제 아버지가 아닙니다. 잠시 제 수호자 역할을 했을 뿐."

"옛날이 좋았어…… 이렇게 싸늘한 아이가 아니었는데."

"앉아서 작업이나 하십시오."

"어릴 적엔 그렇게 귀여웠는데."

"작업하시라고요."

"크면 나랑 결혼할 거라고도 했다고! 흑흑. 아빠는 정말 슬."

"……앉아. 죽여 버리기 전에."

"넹……."

누워서 땡깡을 부리던 샤이닝은 앤서의 차가운 표정에 곱게 자리에 앉았다.

그러나 일이 손에 잡히지 않는다.

'아, 진짜. 거의 다 됐는데. 아! 로스트 월드를 완벽한 가상 현실로 만들 수 있었는데.'

생각할수록 안타깝다. 진짜 거의 다 성공했었다.

"아니 근데 왜 갑자기 예지 범위로 돌아오냐고! 한 달! 아니 보름! 아니 일주일만 더 있었으면……!"

"대표님."

다시 버럭하는 샤이닝을 보는 앤서의 표정이 싸늘하다.

"진짜 맞아 볼래요?"

"아니……."

다시 자리에 앉는다.

훌쩍이는 샤이닝을 앤서가 위로한다.

"새로 만들면 됩니다. 기술 제휴도 다 받았잖아요."

"그렇긴 한데 오리진 서버의 규모가 너무 커. 만드는데 10년은 걸린다고."

"직접 손을 쓰면 그보다는 빠를 겁니다. 그리고 10년이 걸리면 또 어떻습니까? 별로 긴 시간도 아닙니다."

"그치만! 그치만 그러면 저 쓰레기 같은 과금겜이 게임계를 선도하는 꼴을 10년이나 봐야 하는걸!? 내 자식 같은 게임들이 단지 1급 심도가 안 된다는 이유만으로 저 도박 게임하고 비교될 걸 생각만 해도 화딱지가 난다!"

다시 벌떡 일어난다.

"아! 아아아! 딱 한 달! 아니 보름! 아니 일주일만 더 있었더라면 내가…… 끼엑!"

기어코 한 대 맞았다.

"……그나저나."

가볍게 손을 털던 앤서가 말한다.

"상황이 점점 심각해지는 것 같던데요."

"아, 몬스터랑 아이템 말이지."

"네, 심지어 연합의 일부는 게임 마스터를 규탄하고 있습니다. 게임의 신이라면 책임감을 느끼고 상황을 해결하라는 거죠."

"그 건방진 것들이……."

장난스러웠던 샤이닝의 얼굴이 험악해진다.

"그건 게임의 형상을 하고 있을 뿐 게임이 아냐! 정체불명의 존재가 그저 게임을 흉내 내고 있을 뿐인데. 감히……!"

"뭐, 그들이 그만큼 몰려 있다는 뜻이지요."

게임 마스터 관대하는 대차원 전체를 뒤져도 몇 없는 최상급 신이다. 심지어 그에게는 별다른 사명(使命)이나 금제(禁制)도 없으니 그가 원하기만 한다면 지금 당장이라도 대우주 대부분을 지배하는 폭군이 될 수 있을 정도.

우주 전체를 공격해 들어오고 있는 몬스터들의 존재에도 감히 마녀사냥을 하지 못하는 것 또한 그런 이유이다.

"애초에 말도 안 되는 트집이지! 그럼 외계의 존재들이 무공을 써서 침략하면 무의 신에게 책임을 무나? 마도제국 같은 게 나타나 대우주를 불바다로 만들면 마법의 신에게 책임을 묻고?"

"진정하세요."

"벌레 같은 것들이 신을 뭘로 보고 감히……!"

"진정하라고."

앤서의 정색에, 샤이닝이 쭈그러든다.

"딸자식 키워 봐야……."

"딸 아니라고."

잠시 티격태격한다. 분노하고, 또 경계했지만 딱 그 정도일 뿐이다.

대우주 전체를 아우르는 이슈에 잠시 걱정했지만 결국 남의 이슈.

몬스터 사태로 대우주 전체에 천문학적인 피해가 발생했다지만 그래 봐야 34지구가 입은 인명 피해는 아직도 0명에 불과하다.

우주 어딘가의 하위 문명은 멸망의 위기까지 겪는 상황이지만 34지구는 겨우 몬스터 나부랭이에게 위협당하기에 너무나 안정되고 강력한 문명인 것이다.

'군인이나 우주 용병이라면 관심 가질 만한 문제겠지만.'

강대한 초월자라 해도 그들의 업은 전투가 아닌 게임 개발.

정체 모를 몬스터보다 완벽한 가상 현실이 그들의 관심사항일 수밖에 없다.

"오리진 서버 건설을 시작해. 돈 많이 들어도 좋으니 가급적 빨리."

"네, 대표님. 그리고 그만 쉬고 작업하세요. 궁극 마법 2개 알았죠?"

"넹……."

작업을 시작한다.

재연이 원룸에서 탭 댄스를 추던 어느 날의 일이었다.

* * *

시간제한이 사라졌다.

글을 쓰면서도 게임을 하면서도 영상을 찍으면서도 내심 쫓기는 기분이었던 나로서는 천만다행인 상황.

"좀 더 느긋하게 해도 되겠다."

하기야 리벤지처럼 잘나가는 게임이 서비스 종료를 걱정했다는 것 자체가 말이 안 되는 일이었다. 아무리 샤이닝이 시대의 거인이라 해도 무리한 행보였던 것.

"결국, 자기 발언은 수행하지 못했으니 상당한 페널티를 받겠네. 기한을 정하지는 않았으니 언젠간 할 거라는 식으로 빠져나갈지도 모르지만……."

그렇게 중얼거리며 마도전서를 옮겨 쓴다. 작업이 길어지다 보니 마법 지식도 상당히 쌓였다.

"마법이라……."

그렇게 중얼거리며 작업을 이어 나간다. 어느새 또 한 페이지를 완성했다.

"로그인."

"로그아웃."

"로그인."

현실 시간에 여유가 생기자 초조해할 것 없이 작업을 이어 나갈 수 있다. 그렇게 지구와 아르데니아를 오가며 작업을 이어 나간다.

"……마법서를 끼고 사네. 설마 마법도 배우는 거야?"

어린아이처럼 보이는 신장에 얼굴, 그러나 어린아이라고는 볼 수 없는 체형을 가진 헬라인이 신기하다는 표정으로 묻는다.

첫 만남의 사납던 기세와 무례함은 이미 사라지고 없지만, 여전히 말은 놓고 있다.

"일단은 독서에 가깝지. 배울지는 고민 중이고."

나는 마법도 배울 수 있을 것이다. 착점만 충분히 확보한다면, 무공이라는 요소를 만들었던 것처럼 마법이란 요소 역시 열 수 있을 테니까.

'하지만 무공과 마법은 경우가 다르지.'

아르데니아에서의 20년간 난 칼 한 자루로 살아남았다 해도 과언이 아니다.

폐급 마나 적성이라는, 아르데니아에서도 여전한 페널티를 가지고 나는 생사의 간합을 끊임없이 맴돌았다.

콜로세움에서, 방 안에서, 치열한 전장에서.

만전의 상태로, 치명상을 입고, 눈도 뜨기 힘들 정도로 피로한 상황에서.

나는 수없이 무(武)에 대해 궁구(窮究)했다.

폐급 마나 적성 때문에 브레이크가 걸려 있었을 뿐 내 무공 실력은 결코 낮은 수준이 아니다.

애초에 전투 예지가 있어도 입문자 수준의 마나량으로 익스퍼트급 상대에게서 승리한다는 건 보통 일이 아닐 테니까.

그러나 마법은 어떤가?

'그냥 알아 둔 정도지.'

이 정도 수준으로는 요소를 열어도 그 수준이 매우 낮을 게 뻔하다. 어쩌면 수련해 그 경지를 끌어올릴 수 있을지도 모르지만…….

'돈 벌기도 바쁜데 한가하게 마법이나 배우고 있을 여유는 없다.'

마법은 내가 직접 배우는 것보단 마법사를 양성하는 쪽이 합리적이다. 내게 필요한 지식은 지금처럼 마법서, 그리고 주문을 옮겨 쓸 수 있을 정도면 충분하리라.

"로그아웃."

옮겨 쓰고 고기를 꺼내고 다시 옮겨 쓴다. 마도전서의 진행률이 빠르게 차오른다.

그리고 그러던 와중.

[안녕하세요. 작가님!^^ 도서출판 초록용용이입니다.]

이북 정산서를 보내 드리오니, 확인 부탁드립니다.

……인세가 들어오고.

[J.M.T엔터테인먼트에서 472만 원을 입금하였습니다.]

아직도 남은 출연료가.

[마이튜브 정산팀에서 81만 1121원을 입금하였습니다.]

이제 점점 커져 가는 광고 수익이 들어왔다.
"좋아."
당연히 그 모든 수익은 과금했다.
어차피 밥도 아르데니아에서 먹으니 지구에서는 만 원 한 장도 쓸 이유가 없다.

★☆그랜드 마스터 패키지☆★를 구매하셨습니다!
★☆뉴 시즌 패키지☆★를 구매하셨습니다!
★☆용기의 증명 패키지☆★를 구매하셨습니다!
★☆4000다이아 상자☆★를 10개 구매하셨습니다!

과금을 했으니 자연히 과금력이 차오른다.

[알 수 없는 이유로 근력이 33포인트 상승하였습니다!]
[알 수 없는 이유로 체력이 7포인트 상승하였습니다!]
[알 수 없는 이유로 생명력이 12포인트 상승하였습니다!]

"후아. 이제야 좀 살 만하네."
스텟이 점점 회복되어 간다. 지구에 올 때마다 느껴지던 지옥 같은 탈력감도 상당히 완화되었다.
물론 아직도 갚아야 할 과금력은 태산과도 같았지만.
"후, 후후."
그마저도 이제 끝.
"으하하하!"
싸구려 악당처럼 웃는다.
"다 썼다!"
새로운 작품, 마도전서가 완료되었다.
"드디어 이 쓰레기 같은 몸 상태와 안녕이다."
마지막 게시물을 올린다. 뜻밖에도 마도전서의 조회 수가 상당하다. 물론 상당하다고 해 봐야 100~150수준에 불과하지만, 최후 0까지 떨어졌던 백과사전 때와는 전혀 다른 반응.
물론 마도전서가 훌륭해서는 절대 아니다.
댓글 내용만 봐도 알 수 있다.

↳천재마법사 : 서클링이 이게 뭐야? 스펠이 이게 뭐야? 정신 나갈 것 같아! 정신 나갈 것 같아! 정신 나갈 것 같아! 점심 나가서 먹을 것 같아!

↳13클래스(진) : 아 마법 그렇게 하는 거 아닌데.

↳2090새내기 : 서클링 이거 일부러 마나 로드 봉인하는 거 맞죠? 싸울 때 '크크큭. 내 진짜 재능을 보여 주마.' 하면서 서클링 체인지 한다든지?

↳척척석사 : 원시적인 마법 사회에 흔히 보이는 구성입니다. 서클링이나 스펠의 의미를 잘 모르는 채 경험만으로 술식을 만들면 이런 식이 되지요.

↳마대귀요미 : 이건 거의 주술 아님? 기도 세 번 하고 주문 외워야겠네.

↳2090새내기 : 와, 다시 봐도 막막하네. 이 서클링으로 마법 배우면 5클래스 어떻게 찍냐?? 아니 5클래스는 그만두고 4클래스나 찍을 수 있나?

조회 수가 140인데 댓글이 100개.

온갖 훈수와 비아냥이 가득한 댓글을 대충 둘러보고 창을 꺼 버린다. 어차피 좋은 반응 기대하고 올린 내용이 아니기 때문이다.

최후의 게시물을 올리고 나는 게시판을 가만히 바라본다.

그리고 어느 순간.

탁!
거의 동시에 모든 게시물에 1의 조회 수가 추가되고.

[와우! M-4님께서 드래곤 스톤 300만 개를 후원하셨습니다!]

"……!"
온몸을 파르르 떤다. 드디어 올 것이 왔다.
"아…… 형님!"
혹시나 안 올까 걱정했던 게 무안할 만큼 빠른 반응!
그러나 이내 멈칫한다.
"어? 잠깐만 300만 스톤?"
순간 30억으로 이해했다. 그래서 그렇게 기뻐했던 것.
그러나 드래곤 스톤 하나는 100원.
300만 스톤이면 30억이 아니라 3억이다.
"어? 어라?"
드래곤 스톤 1,500만 개였던 백과사전의 1/5에 불과한 후원이다. 마도전서의 가치가 백과사전보다 높으면 높았지 절대 낮지 않으리라 예상한 내게는 뜻밖의 상황.
당황하는 내 눈에 후원 메시지가 떠오른다.

[M-4 : 훌륭. 그러나 중복 많음.]

"중…… 복?"

사기당한 느낌에 분노가 차오른다.

"중복이라니 이게 무슨 소리야?! 아르데니아 작품인데 중복이라니!"

인터넷을 검색한다. 별다른 결과가 나오지 않는다. 하긴 이렇게 나올 정보였으면 내가 벌써 눈치챘으리라.

이번에는 리플들을 살핀다. 대충 훑었던 아까와 달리 이번에는 정독했다.

힌트는 거기에 있었다.

↳척척석사 : 아 묘하게 눈에 익다 했더니 29지구의 마법 체계랑 많은 부분에서 겹치는군요. 리벤지에서 중세술식으로 활용해서 봤었는데 여기서도 보게 될 줄은 몰랐네요. 29지구 출신 이민자가 생각보다 많은 모양이에요.

"뭐, 라고?"

다리에 힘이 풀려 주저앉는다. 오버한다고 말하지 마라. 누구나 10억을 날리면 이렇게 충격 받을 것이다.

"아, 이런. 네메시스, 이것들 완전 제로에서 시작해야지 답지 않게 무슨 디테일야!!"

뭔가 억울했지만 따질 곳도 없다. 애초에 이 후원이란 게 그렇다. 뭔가 약속을 했던 것도 아니고 계약서를 쓰지도 않았는데 어디에 따진단 말인가?

"아니, 하."

물론 3억도 많은 돈이다.

'사실 엄청 많은 돈이지.'

그 증거로 샤인라이트 영웅전기에서 처음으로 3억 후원을 받았을 때, 나는 기쁨 이상의 현자 타임을 겪었다.

3억도 아니고, 그 3억을 받으며 뜯긴 6천만 원의 수수료가 내가 두 달 동안 잠도 안 자고 미친 듯 일해서 번 돈보다 더 많았기 때문이다.

'그래. 들어간 노동력을 생각하면 말도 안 되게 많은 돈이다.'

아무리 두껍다 해도 고작 책 한 권 옮겨 쓰는 것으로 3억을 받을 수 있다면 세상 모든 사람이 생업을 때려치우고 그 일을 하려고 할 것이다. GDP가 높기로 유명한 대한민국에서도 억대 연봉을 받으면 상위 10%에 속할 정도인데 고작 몇 주 동안 창작도 번역도 아니고 그냥 책 한 권 옮겨 쓰는 것만으로 3억이라니.

"아."

그래. 이건 많은 돈이다.

"아, 형님……."

많은 돈인데.

"섭섭합니다……."

인간이.

이렇게나 간사하다.

"에휴. 과금이나 하자……."

6,000만 원의 수수료를 빼고 들어온 2억 4천만 원을 몽땅 과금한다.

[알 수 없는 이유로 근력이 171포인트 상승하였습니다!]
[알 수 없는 이유로 생명력이 85포인트 상승하였습니다!]
[알 수 없는 이유로……]

본신 능력치와 레벨 업 보너스는 거의 완전히 복구되었다.

보너스 스텟들은 아직 미미하지만, 이 정도만 해도 이능력자로 활동하기에 크게 부족함이 없었다.

무엇보다 내겐 스텟과 무관하게 작동하는 차크라 능력이 있지 않던가?

"흠. 이 정도면 다시 시합에 나갈 만하겠다."

과금력이 마이너스가 되어 버리는 바람에 격투기 시합도, 검투 시합도 취소해야 했다.

원래 계획대로라면 지금쯤 프로 경기에 나가야 하는데 한 번 취소한 탓에, 다시 아마추어 대회부터 시작해야 했다.

"체다. 취소했던 경기들 다시 잡아 줘. 가급적 평일 걸로."

"한명일보 배 검술 대회와 배틀엔젤 마탑 배 무제한 영능전이 있습니다. 신청하시겠습니까?"

"무술 대회가 아니라 무제한 영능전이라……. 뭐 상관 없겠지. 신청해."

그렇게 대회를 잡고 자동 사냥을 하고 있던 캐릭터의 인벤토리를 비울 때였다.

[마도지존님께서 암흑대성검(전설)을 획득하셨습니다!]

[마도지존님께서 쉐도우 트와이스(전설)을 획득하셨습니다!]

화면 상단에 채팅창에 난리가 난다.

↳과금아씨 : 아니, 미친 전설 검도 어이가 없는데 전설 스킬북 완제라고요?

↳뉴비조아 : 아니 대체 뭘 잡았길래 한 명이 전설 템 두 개를 다 먹음? 설마…… 신화 레이드?

↳차노아 : 으아. 말 많고 탈 많던 마족공 레이드 성공했나 보네…… 신화급이 많아지니 이런 일이 벌어지는구나.

↳핫바디 : 이거 조만간 천원(天元)도 공략 성공하는 거 아님?

쏟아지는 채팅에 휘파람을 분다.

"올, 신화 레이드. 그러고 보니 마계 백작인가 뭔가 하는 놈 레이드도 그 과정 중 하나였던가."

짐작하기로, 아마 아레스 길드도 그 레이드에 참여했을 것이다. 아레스는 랭킹 5위의 길드니 당연한 일이겠지.

"아."

그리고 그 순간 나는 깨달았다.

"얼마 전 현실에서 정모를 한다던 게…… 바로 이 신화 레이드 관련이었겠구나."

나는 언급조차 못 받았던 일이다. 신화 레이드를 위해 길드들 사이에서 피 튀기는 정보전과 대규모 전쟁이 벌어지고 있는 사이, 내 캐릭터들은 바람막이 고원에서 멧돼지만 잡고 있었다.

물론 누군가는 의아해 할 수 있다. 지금 내 캐릭터, 킬리언스의 전력은 리벤지에서도 손에 꼽힐 정도로 강력하다. 남도 아니고 같은 길드인데 상식적으로 신화급 레이드를 하는 데 안 데려갈 이유가 있나?

나는 대답할 수 있다.

'있다.'

그렇다. 있다. 아니, 거꾸로 말하자면 데려갈 이유가 없다.

아레스 길드에 가입했다 해도 내가 아레스 길드원들의 바운더리 안에 들어갔다고 할 수 없다. 내 캐릭터는 강력하지만 그래 봐야 길드에서 나는 주변인에 불과하다.

내 무력이 월등히 강할 수 있는 어쭙잖은 길드라면 또 몰라도 아레스는 리벤지에서도 5위의 대형 길드가 아니던가?

'인간관계를 좀 신경 써야겠는데.'

리벤지는 사회적인 게임이다.

또 정치적인 게임이기도 했다.

만나서 얼굴 한 번 본 적 없는 이를 믿고 전쟁을 하는 건, 불가능하지는 않지만, 매우 부담스러운 일이다.

가상 세계에서의 얄팍한 인연은 원하면 언제든 벗어던질 수 있다. 물론 게임 커뮤니티란 게 원래 딱 그 정도 인연으로 수행하는 것이지만 리벤지는 다르다. 보통의 게임에서는 상상도 못할 자본이 움직이기 때문이다.

약 6년 전.

어떤 길드가 화점을 차지하기 위해 공성전을 준비하고 있었다. 많은 돈을 써 공성 오브젝트를 제작하고 길드원을 모았다. 과금을 하고 레벨 업과 파밍을 진행했다.

그때 신규 가입자가 있었다.

보통 신규 길드원은 겉돌기 마련이지만 놀라울 정도의 친화력과 싹싹함을 가지고 있던 그는 삽시간에 모든 길드원들과 형님 동생 하는 사이가 되었다.

현실에서 만나 술과 밥을 먹고 자신의 집에 길드원들을 초대하기도 했다.

고레벨의 랭커이기도 했기에 순식간에 길드의 중추가 되었다.

그리고 대망의 공성전 당일.

고작 반년 만에 길드의 임원이 된 그는 길드의 총력을 투자해 만든 공성 오브젝트, 인급 기가스 링컨에 탑승하게 되고.

그걸로 아군을 학살해 전혀 다른 길드에 성을 떠먹여 주었다.

그 한 순간만을 위해 반년 동안 길드에서 활동하던 스파이였던 것이다.

'무슨 게임에서 이렇게까지 하냐고 생각하겠지만…… 그런 것을 할 수 있는 게임이 바로 리벤지다.'

리벤지에서 움직이는 자본은 다른 게임들과 비교가 되지 않는다. 6개월은 긴 시간이지만 누가 2~3억쯤 찔러 준다면 못할 것도 없다. 일종의 파견이라고 생각하면 그만 아닌가?

계정이야, 사고 파는 건 물론 대여까지 가능하니 더더욱 문제가 없다.

'책임도 물 수 없지.'

길드 마스터는 눈이 뒤집혀 그를 찾았지만, 그는 이미 자취를 감춘 상태였다. 연락처는 모두 바뀌었으며 초대했던 집은 빌린 집이었다.

진실신이 있는데 이런 일이 가능하냐고 생각하는 이들이 많지만 부길마는 거짓을 말한 적이 없다.

애초에 공성전을 파투 내기 위해 투입된 스파이냐고 물어본 이도 없지 않은가? 물론 서로 간에 대화가 많은 게임 내에서는 그런 언급이 나온 적이 있을 수 있지만.

'이러니저러니 해도 게임이다.'

게임에서 진실과 정의의 판정은 현실과 다르게 적용된다.

당연한 일이다.

극단적인 말이지만 PK를 살인과 동등하게 취급할 수는 없다. 살인은커녕 폭행으로 판정해도 말이 안 되는 이야기.

게임은 게임이며 그 안에서 벌어지는 그 모든 일은 게임의 과정이다.

속이고, 배신하고, 훔치고 죽이는 모든 것이 플레이의 일환이라고 판단할 근거는 얼마든지 있다.

"흠. 정모 나가 봐야 하나."

반드시 필요한 일이다. 얼굴 까고 들어오는 스파이도 있는 마당에 게임상에서만 볼 수 있는 사람을 어떻게 믿겠는가?

길드 사이에서 기자와 탐정, 심지어 정보계 능력자까지 동원하는 리벤지에서 지금 같은 아싸식 플레이로는 제대로 된 길드 생활을 할 수가 없다.

인간 대 인간으로서 그들과 관계를 맺어야 한다는 말이다.

"아, 게임으로 사람 만나는 거 별로인데……."

투덜거렸지만 어쩔 수 없다는 사실을 알고 있다. 단순

히 과금한 돈으로 구매한 아이템에 과금력이 깎인다는 걸 안 지금, 상위 등급의 아이템을 드랍으로 얻을 수 있는 신화급 레이드를 포기할 수는 없다.

"뭐, 일단 멧돼지 고기가 그만 필요한 상황이 되어야겠다. 로그인."

그대로 아르데니아로 넘어간다.

턱. 턱. 턱.

지금까지 그러했듯 고기를 내려놓는다. 주변은 꽤 소란스러웠다.

짐을 챙기는 드워프, 훈제를 하는 수인, 장비를 챙기고 있는 엘프들까지 다들 꽤 바쁘게 움직이고 있다.

"그나저나."

나는 고기를 다 내려놓으며 입을 열었다. 비록 고기로 이루어진 관계지만 이제 충분히 친해졌으니 물어도 되리라 판단되었기 때문이다.

"몬스터들이 왜 너희를 살려 두고 있는 거야?"

"역시…… 짐작했구나."

"그래. 아무리 그래도 10만 명은 너무 많지."

티타니움 광산이 거대한 규모인 건 사실이다. 지하 100미터에 길을 뚫던 랜드웜이 일부러 찾아간 것도 아닌데 마주칠 정도의 규모.

무려 1만 명이 거주할 정도의 규모라면 지하라 하더라도 입구가 잘 만들어져 있을 것이다.

평소에 준비하고 있었다면, 아주 빠르게 그 안으로 숨어드는 것도 불가능한 일은 아니겠지.

그러나.

'말이 안 되는 소리지. 몬스터들이 장님도 아니고.'

아무리 그래도 그렇지 무려 10만 명의 인파가 지하로 숨어드는 데 몬스터 놈들이 그걸 눈치 못 챈다는 건 말이 안 된다.

당장 브론즈 소드 남작령에 모습을 드러냈던 오크들만 해도 피난 가던 우리를 수십 킬로미터 이상 추격해 왔지 않았던가?

물론 오크와 이곳 몬스터의 습성이 같지는 않겠지만 아무리 그래도 바로 아래 있는 10만 명을 모른다는 건 있을 수 없는 일.

헬라인은 어쩔 수 없다는 듯 설명했다.

"벌써 1년도 훨씬 전이네……."

게이트가 열린 날.

게이트에서 튀어나온 정체불명의 엘프들은 크리스털 연맹을 박살 냈다.

그러나 젊은 인간 여성을 제외한 모든 인간을 닥치는 대로 죽였던 오크와 달리 그들은 적극적으로 아인족들을 해치지 않았다.

"아니, 오히려 죽이지 않기 위해 노력했다는 쪽에 가까웠지."

녀석들은 저항이 심한 자들만 상처를 입혀 쓰러트린 후 납치하고 겁먹은 자들은 마치 양을 몰 듯 몰아넣었다고 한다.

그중에는 영맥을 벗어난 도시에 격리된 이들도 있었지만, 대부분의 아인족들은 그보다 조금 더 고립되고 밀폐된 곳에 갇히게 되었다.

티타니움 광산은 그중에서도 가장 큰 규모였다.

"우린…… 갇혀 있던 거야. 탈출하려고 몇 번이나 힘을 모아 공격해 나갔지만…… 아무리 죽여도 녀석들의 수가 줄지 않아. 납치되는 인원만 점점 많아졌지……."

그녀의 말에 생각이 정리된다.

'그렇군. 몬스터들은 크리스털 연맹을 흡수하고 있다.'

몬스터들이 세력을 키우는 가장 대표적인 방법은 다른 착점을 차지하는 것이지만, 그렇다고 방법이 그뿐인 것은 아니다.

당장 오크들만 해도 늑대 마수를 길들여 타고 다녔고, 에드워드 역시 코끼리 마수를 키웠다.

특히나 에드워드 녀석은 인간 포로를 아주 잘 이용했는데, 천신교의 화점을 박살 낸 후 주변에 잡혀 있던 포로들에게 습득한 정보는 꽤 충격적이었다.

'그리 복잡한 방법도 아니지.'

에드워드는 리젠 시간이 비교적 짧은 천신교 전사(고급)를 인간 포로들이 죽이게 만들어 드랍 아이템을 확보했다.

플레이어가 아니기에, 더불어 여신의 가호가 없기에 드랍률이 형편없지만, 그거야 규모가 커지면 해결될 문제다.

전투가 아니라 그냥 목을 내민 상대를 베어 죽이는, 마치 공장과도 같은 형태의 아이템 생산.

심지어 그는 그렇게 죽은 천신교 전사를 마수들에게 먹였다.

몬스터의 시체는 시간이 지나면 사라지지만, 마수화의 핵심인 뇌를 먹는 데 그 정도 시간이면 충분했기에 가능한 일이었다.

'하, 무슨 몬스터가 아이템 공장을 돌려. 어이가 없다 정말…….'

아마 스페셜 보스 세계수와 그 휘하의 엘프족들 역시 크리스털 연맹의 세력을 이용하기 위해 그들을 살려 놓았으리라.

"그럼 일단 그들부터 구해야겠군."

여상한 대꾸에 헬라인이 할 말을 잃고 머뭇거린다. 어린아이의 외향을 가진 그녀가 그러니 선생님에게 혼나는 중학생 같다.

"말도 안 되는 소리를……."

"그 괴물들이 얼마나 많고 무시무시한데……."

"하지만 봐. 저분은 우리 10만 명이 먹을 고기를 주셨어! 어떤 기적을 일으키실지 모른다고!"

"아무리 그래도 그 엘프들의 핸드 캐논은……."

웅성거리는 아인족.

나는 피식 웃었다.

'그래. 이 정도면 오래 있었지. 지나가던 길에 시간을 너무 많이 낭비했다.'

굳이 설득하고 싶지 않다. 딱히 도움이 필요한 것도 아니니 더더욱 그러하다.

"나와라."

때문에 말했다.

"랜드웜."

쿠구궁…….

묵직한 소리와 함께 땅이 흔들리자 소란스럽던 지하 도시가 단번에 침묵에 잠겼다.

그들은 의문을 표할 시간도 없었다.

콰앙!

음식을 나눠 주던 뒤편 벽이 통째로 무너지며 랜드웜이 모습을 드러낸다.

원래 사방으로 튀어야 할 돌 조각과 흙먼지는 강대한 대지 속성력에 붙잡혀 통로로 굳어진다.

"억……!"

"히이익……!"

"저게 뭐야!? 저게 뭐냐고!"

내가 분명 랜드웜에 대한 이야기를 했음에도 정신을 차리지 못한다. 하긴 말로 듣는 것과 직접 보는 것 사이에는 어마어마한 간극이 있다.

'이제 익숙해질 법한데…… 진짜 크긴 크다.'

랜드웜의 크기는 일반적인 상식을 벗어난다.

기어 다니는 고층 빌딩 같은.

굽이굽이 이어진 언덕길 같은.

생명체가 아니라 지형이나 배경으로밖에 보이지 않는 압도적인 존재감.

그저 [모습을 드러냈다]고 가볍게 평가했지만, 녀석의 등장에서는 어떤 객체가 모습을 드러내는 것 이상이다.

지형이 변하는, 마치 자연 현상에 더 가까운 느낌.

자주 본 나도 이런데 느닷없이 그 모습을 본 아인들의 충격은 실로 엄청날 것이다.

쿵.

가볍게 땅을 박차 그대로 수십 미터를 날아오른다. 랜드웜이 고개를 움직여 나를 받아 든다.

쿠오오오!

녀석이 고개를 움직인 것만으로도 지하 도시에 광풍이 불어 닥쳤다. 나는 바닥을 뒹굴거나 자세를 낮추는 아인들을 보며 말했다.

"먼저 가지. 천천히 따라와라."

그 말을 마지막으로.

쿠콰콰쾅!

랜드웜이 지상을 향해 이동하기 시작했다.

원래대로라면 수직으로 올라갔겠지만, 이번엔 통행에 불편함이 없도록 대각선으로 뚫었다.

"아, 깜빡할 뻔했다."

눈앞에서 몰아치는 토사의 파도를 무시한 채 인벤토리를 연다. 어차피 강대한 대지 속성력에 붙잡혀 먼지 한 톨 다가오지 못하는 상황.

'여신의 가호는…… 됐어. 어차피 전설 몬스터도 없는데 굳이 3단계를 맞출 필요는 없겠지.'

캐시숍에서 산 용옥(30일) 덕분에, 여신의 가호는 2단계에 고정된 상태. 나는 굳이 가호를 더 채우는 대신 장비를 변경했다.

"아, 이 옷 입을 때마다 이 일에 회의감이 드네."

누누이 말하지만.

행운 세트는 내가 고르고 고른 결과물이다.

그 태생이 예능 템인 행운템들은 어차피 성능이 다 비슷해 나는 철저히 그 외향만을 보고 골랐다.

인간을 새싹 화(化)하는 피어오르는 새싹 세트.

가린 곳보다 안 가린 곳이 더 많은 섹시 산타 세트.

그냥 인형 탈을 뒤집어쓴 거나 다름없는 심쿵 고양고양 세트와는 다르다.

적어도 보는 순간 비웃을 정도는 절대 아니라는 말이다.

다만.
'기묘하지.'

[행운의 골든 크라운+9(전설).]

근사한 디자인이지만 전투 시에 쓰고 있기에는 너무나 화려하다. 전체가 금으로 된 헬멧과, 그 가운데서 빛을 수천 줄기로 반사시키는 커다란 다이아는 보는 것만으로 눈이 부실 정도였으니까.

[행운의 엔젤 윙 수트 +9(전설).]

얼핏 보기에 평범한 양복의 형태의 옷에는 아무런 문제가 없다.
그러나 이름을 봐라.
'윙 수트는 제길, 활강용 복장이 윙 수트지.'
당연하지만 그 윙 수트와는 다르다. 괜히 앞에 엔젤이 달려 있겠는가?
이 수트를 입으면 등 뒤에 앙증맞은 천사의 날개가 생겨난다. 끔찍한 건 이 날개 역시 빛나고 있다는 점이다.
'그나마 바지는 문제없지. 상의랑 세트라 그런 것이기도 하겠지만.'

[행운의 찬란한 빛 슈즈 +9(전설).]
[행운의 찬란한 빛 장갑 +9(전설).]

신발과 장갑은 디자인적으로 문제가 없다. 아주 평범한 백구두와 백장갑.

다만.

'너무 빛나…….'

이름만 봐도 알다시피, 원래도 빛나는 물건인데 9강화를 하면서 그 빛이 더 강해지고 말았다.

그러나 화룡점정은 뭐니 뭐니 해도 무기다.

[행운의 토끼발 망치 +9(전설).]

이 앙증흉악(?)한 외형은 그야말로 기괴함의 끝이라 할 수 있다. 은은히 퍼져 나오는 빛 때문에 더 짜증 난다.

"하, 고르고 골랐는데도……."

그러나 이 꼬라지여도 행운템을 포기할 수는 없다. 행운템을 장착하지 않았을 때와 그렇지 않았을 때의 드랍률은, 여우비와 국지성 소나기 수준으로 차이 나기 때문이다.

사아-

잠시 현타를 느끼고 있을 즈음 주변이 확 밝아진다. 랜드웜이 지면을 뚫고 올라간 것.

지상에서는 당연히 난리가 났다.

"적……!"

"대형 적!"

"전파!"

"말살!"

주변에 있는 나무들을 관리하고 있던 엘프들이 모조리 몰려든다.

신목의 엘프 검사(고급), 신목의 엘프 궁수(고급) 등의 직업으로 구분된 녀석들이다.

티티팅!

쏟아진 화살이 랜드웜의 피부에 막혀 튕겨 나간다.

"와, 겁대가리들이 없네. 이 덩치를 보고 활 쏠 생각을 하다니."

신을 향한 광신(狂信)으로 두려움을 이겨 낸 천신병과는 다르다.

아예 공포라는 감정이 거세된 듯 아무런 동요가 없다. 생명체가 아니라 전투용 안드로이드에 가까운 종류.

그리고 무엇보다…… 피부가 검다.

'다크 엘프인가? 이런 설정은 없던 것 같은데.'

아무래도 세계수 역시 오크나 에드워드가 그러했듯 무언가 수단을 찾아낸 모양이다.

[아니, 이것들이.]

파가가가각!

한순간, 나조차 정말 간신히 인지할 정도로 찰나의 순간 대지에 거대한 물결이 일었다.

랜드웜을 향해 화살을 날리던 엘프들이 떼 몰살을 당했다.

"악! 지금 뭐 하는 거야!? 아이템 드랍 똥망된다고!"

당연한 말이지만 내 행운 스텟은 펫의 공격에 아무런 도움을 주지 못한다. 하기야 플레이어의 스텟이 하루에 한 번 쓸 수 있는 펫 스킬에 크리티컬을 터트리는 것도 가능하겠지.

[아니 그럼 그냥 맞고 있으라고?]

"간지럽지도 않으면서 엄살은. 자꾸 이러면 밥 안 준다?"

[밥 같은 소리 하네. 척 봐라. 저것들이 금속 장비를 떨구게 생겼냐?]

그 말에 말문이 턱 막힌다. 완전히 맞는 말이다.

"네 이 녀석, 너무 많은 것을 알고 있군……."

녀석의 말대로 엘프들의 드랍 템에는 금속이 거의 없었다. 대체로 천옷이나 목궁 따위. 금속 무기가 없는 건 아니지만 대체로 단검류다.

[내가 움직이기 전에 빨리 죽여.]

녀석의 말이 꼬왔지만 어쩔 수 없다. 요새 녀석이 하는 일에 비해 먹이를 안 주는 건 사실이니까.

"아오, 요새 일 많이 하니 내가 참는다."

녀석의 머리를 박차고 뛰어내린다. 이제야 날 발견한 엘프 전사들이 몰려든다.

당연히 상대가 되지 않는다.

[치명타!] [치명타!] [치명타!] [치명타!] [치명타!]

회초리 휘두르듯 휘둘러진 토끼발 망치가 스쳐 지나가는 모든 머리통을 박살 낸다. 가공할 힘과 속도를 가진 그 공격을 엘프들은 막지도 피하지도 못했다.

"……뭐지?"

그런데 손끝에 와 닿는 감각이 기묘하다.

"인간 적! 죽…… 켁!"

달려드는 신목의 엘프 암살자(고급)의 목을 잡아 챈다. 손에 와 닿는 피부의 질감이 딱딱하다.

"아니, 이게 뭐야…… 드라이어드도 아닌데 왜 피부가 나무야?"

저번 얼음 여왕 이후로, 필승의 상대일지라도 정보 수집에 최선을 다하고 있었다.

그런데 분명, 팬 사이트에서 확인했던 몬스터 정보에는 이런 내용은 없었다.

뿌득!

목젖을 뜯어내자 체액을 쏟으며 죽어 버린다. 나는 뜯어낸 나무를 살폈다.

'흑단목(黑檀木)이다.'

엘프 녀석들 왜 피부가 검나 했더니 나무의 재질 때문

이었다.

'세계수 녀석이 나름의 방식으로 고급 병사들을 강화했군.'

흑단은 매우 단단하고 조직이 치밀해 가공 난이도가 거의 돌을 깎는 조각에 가깝다 평가되는 목재다. 오죽하면 '금속과도 같이 단단한 나무'란 뜻에서 아이언우드로 분류될 정도이고, 물에 던지면 가라앉는다.

'피부가 이런 걸로 되어 있으면 화살이 안 통하는 건 물론이고 도검에도 엄청난 저항력을 가지겠지.'

물론.

나와는 상관없는 일이다.

[치명타!] [치명타!] [치명타!] [치명타!] [치명타!]

세계수 녀석은 에드워드 녀석이 그러했듯 나름의 방식을 사용해 군세를 강화했지만 그래 봤자 학살을 피하지 못한다.

천억대의 과금을 한 나는 규격 외의 존재.

이 정도 강화로 그 간격을 좁히는 것은 불가능하다.

"와아아아!"

한참 엘프들을 죽이다 보니 새로운 무리가 모습을 드러낸다. 역시나 엘프들이지만, 아까와는 상황이 다르다.

"몬스터가 아니네."

구분은 간단하다. 몬스터들은 머리 위에 칭호와 등급이

뜨기 때문이다.

뒤이어 등장하는 정상적인 외모의 엘프 전사들은, 그들에게 [처형]당하기 위해 존재하는 녀석들이다.

"아, 역시 여기도 아이템 공장이 있었구먼."

너무 쉬운 기믹이다 보니 부하 몬스터에 대해 절대적인 통제력을 가진 스페셜 몬스터는 다 써먹는 느낌이다.

'굳이 상대할 필요는 없지.'

슬슬 백인참&천지를 가르는 검 스택이 다 찼다는 걸 확인한 난 눈이 뒤집혀 달려오고 있는 아인들을 무시하고 던전으로 이동했다.

[세계수의 정원(고급~영웅)].

나무가 빽빽한 숲으로 움직이자, 쏟아지는 탄환이 날 맞이한다.

투두두두!

가볍게 막거나 튕겨 낸다. 고개를 돌려보니 몰려드는 적들이 보인다.

이계의 엘프 사수(희귀)
레베티아

"아, 이 녀석이구먼."

높은 확률로 탄환을 떨구고 극도로 희귀한 확률로 기관 소총을 떨구는 엘리트 몬스터. 헬라인이 만든 소총을 만들 수 있던 것은 이 녀석을 죽이고 탄환을 얻는 데 성공했기 때문이리라.

"적 확인! 화망을 짜라!"

"산개!"

지금까지의 엘프들과 달리 지성이 느껴지는 반응.

그러나 나는 전투를 길게 끌고 갈 생각이 없었다.

쾅!

보법을 사용해도 줄일 수 없는 폭음과 함께 몸이 쏘아진다.

그리고 피할 수 없는 재앙이 터져 나온다.

[천검-백인참(百人斬)]&[천지를 가르는 검]

랜드 브레이커(Land Breaker).

퍽!

토끼발에 얻어맞은 레베티아의 머리가 터져 나감과 동시에 숲 전체가 들썩인다. 바글바글 모여 있던 온갖 엘프들은 물론 보스까지 죽고 말았다.

애초에 화점도 아니고 착점.

생존자가 있을 수 없다.

[인벤토리 중량이 75%를 초과했습니다!]
[인벤토리 중량이 75%를 초과하여 이동 속도가 느려집니다!]
[인벤토리 중량이 100%를 초과했습니다!]
[인벤토리 중량이 100%를 초과하여 이동 속도가 극도로 느려지고 체력, 생명력, 마나가 천천히 감소합니다!]

어느새 던전 밖으로 나와 쏟아지는 아이템들을 본다.

[세계수의 정원(고급~영웅)의 헬 난이도가 공략되었습니다!]
[조건을 우선 완료한 길드부터 공성전을 신청할 수 있습니다!]
[초라한 토성(일반)이 등장합니다!]

"빛이다! 빛이야!"
"조심해서 가! 적들이 있을 거라고!"
"방패병부터 앞으로!"
그때 저 멀리 있던 구멍에서 아인족들이 나온다. 그들은 한껏 긴장해서 밖으로 나왔지만.
그들이 본 것은 사방에 가득한 시체와 아직도 쏟아지고 있는 아이템뿐이다.
펄럭!

인벤토리에서 둔기로 분류되어 있는 대형 파라솔(고급)을 꺼내 든다.

투두두두두! 투퉁! 타당! 깡!

쏟아진 아이템이 파라솔에 튕겨 사방으로 흩어진다.

"이, 이게, 이게 대체……."

"맙소사……."

"아니 잠깐. 왜 하늘에서 장비들이 떨어지는 거죠?"

"헉!? 이거 탄환! 탄환! 탄환이 막 쏟아진다! 그렇게 구하기 힘들었는데 어째서!?"

나는 비를 맞으며 구멍에서 올라오는 아인들을 보았다. 뜻밖에도 랜드웜이 뚫어 놓은 굴을 통해 끝도 없이 아인들이 쏟아져 나오고 있다.

'다 나오고 있잖아?'

충분히 먹고 쉬어 체력이 돌아왔다 해도 꽤 대책 없어 보이는 모습이다. 막상 나왔는데 몬스터가 잔뜩 모여 있으면 어쩌려고 저러는지.

"헬라인."

"엣! 아! 와! 응! 우, 우리도 싸울 준비가 되었어! 아무리 큰 피해가 생긴다 해도……!"

나는 비가 그친 것을 확인한 후 대형 파라솔(고급)을 접어 인벤토리에 집어넣고 말했다.

"와서 장비들을 종류별로 정리해."

"에?"

소총을 들고 각오를 다지던 헬라인이 멍청한 표정을 짓는다. 그러거나 말거나 나는 몸을 돌려 새롭게 모습을 드러낸 성을 향해 땅을 박찼다.

그 뒤의 과정은 간단하다.

정면으로 걸어가 성문을 발로 차 부수고.

토끼발 망치를 휘둘러 성을 지키려 하는 몬스터들을 학살한다.

최후에는 백인참&천지를 가르는 검 콤보를 사용하기도 했다.

[축하합니다! 한 길드가 세계수의 정원을 점령했습니다!]

[새로운 성주, 한재연.]

모든 일을 마치고 아인족들에게 돌아온다.

엘프, 드워프, 수인.

지하에 있던 10만 명에 지상에 잡혀 있던 포로들까지 더해져 족히 15만은 될 법한 숫자의 아인족들이 아무 말 없이 나를 바라보고 있다.

저벅. 저벅.

나는 그들 사이를 가로질러 한가운데까지 이동했다.

죽음과도 같은 침묵.

아인들은 감히 입을 열지 못하고 그저 나를 바라만 보고 있다.

그럴 만하다.

그들에게 멧돼지 뒷다리를 나눠 준 것이 신과 같은 기적이었다면, 지금 보여 준 것은 악마와도 같은 무력이었기 때문이다.

일격에 1만 이상을 살해할 수 있는 힘.

34지구도 아닌 아르데니아 사람들이 그만한 무력을 보고 받을 충격은 보통이 아니리라.

쿠쿠쿵!

발밑에서 튀어나온 랜드웜이 그대로 수십 미터 정도 고개를 든다.

"히익……."

"윽!"

"저, 저 거대한 존재가 이렇게 빠르게 움직이다니……!"

여기저기에서 터져 나오는 비명을 들으며 자리에 앉는다. 15만은 대형 스포츠 경기장이 꽉 찰 정도로 까마득한 숫자지만, 랜드웜의 머리 위에 있으니 그들 모두를 내려다볼 수 있었다.

점점 어둑어둑해지는 시간이었지만 내 몸에서 뿜어지는 은은한 빛으로 인해.

빛으로 인해…….

'아, 미친.'

멈칫한다. 멍하니 나를 올려다보는 시선에 그제야 깨달았다.

'옷…….'

전투가 끝나고 바로 갈아입었어야 했는데 입기에 불편한 물건들이 아니라 깜빡하고 말았다.

그러나 15만 명이 아인들이 날 우러러보는 이 웅장한 분위기 속에서 옷을 갈아입을 수는 없는 일.

나는 토끼발 망치라도 슬쩍 인벤토리에 집어넣은 뒤 공백 지대의 착점에 설치해 둔 요소를 활용해 만든 사치스러운 술식을 가동시켰다.

말(言), 위압(威壓), 중문(重門) 개방(開放).

황제의 진언.

"정식으로 다시 인사하지. 인류제국의 황제, 한재연이다."

15만 명의 아인들 앞에서.

나는 그렇게 연설을 시작했다.

이야기는 꽤 길었다. 지금껏 지하 도시에 갇혀 대륙 정세에 어두울 이들을 위해서였다.

대륙에 존재하는 모든 착점, 즉 용맥에서 열린 게이트.

그 안에서 쏟아진 이계의 존재 몬스터들.

"몬스터들은 내륙으로 갈수록 강해지고 특히나 명 제국이 차지하고 있던 대륙의 중앙에는 신과 같은 힘을 가진 괴물이 존재하지."

천원의 문제는 스페셜 보스. 망령룡(亡靈龍) 레플리만이 문제가 아니다.

[망령룡의 둥지(신화)]

던전 등급만 봐도 알 수 있다. 전설에서 신화 사이가 아니라, 오직 신화로 명명된 등급.

'안에서 나오는 모든 몬스터가 신화라는 의미지.'

신화 등급의 살벌함은 굳이 설명하기도 입 아프다.

깨달음을 얻거나, 혹은 그만한 재화나 사연으로 초월지경에 도달한 존재들은, 하나하나가 우주적 존재라 해도 과언이 아니었다.

죽어 사멸해야 할 고룡이 너무나 강대한 영혼력으로 부활했다는 설정을 가진 스페셜 보스. 망령룡 레플리는 물론이고.

그를 지키는 4천왕. 그러니까 그랜드 데스나이트, 아크리치, 엘더 뱀파이어, 언데드 파라오 같은 보스급 몬스터.

그리고 온갖 사연으로 떡칠한 수십의 엘리트 몬스터까지.

'그러나 사실 제일 문제는 일반 몬스터야.'

엘리트, 보스, 스페셜 보스는 보상이라도 잘 주지.

일반 등급의 신화 몬스터들은 잡기도 더럽게 힘든 주

제에 드랍 테이블이 엉망이라 플레이어들 사이에서 기피 대상이다.

신화 등급 플레이어가 잔뜩인 리벤지에도, 천원이 끝끝내 버티고 있는 게 괜한 이유가 아니다.

'만일 망령룡 레플리가 다른 스페셜 보스 녀석들처럼 마구 날뛰며 주변 땅을 차지하려 들었다면 어떨까나.'

농담이 아니다. 만약 그렇게 된다면 감히 그 어떤 몬스터도 막지 못할 것이 분명하기 때문이다. 아마 아르데니아는 옛날 옛적에 어둠과 죽음의 대륙이 되었을 것이다.

'물론 그러진 않았지.'

멀리 갈 것도 없이 지금 아이언 캐슬 인구의 상당수가 누구인지만 봐도 그걸 알 수 있으리라. 망령룡을 비롯한 휘하의 몬스터들이 활동적이라면 명 제국의 황제와 신하. 그리고 제국민들이 무슨 수로 아이언 캐슬까지 살아왔겠는가?

문제는 그뿐이 아니다.

'아무리 아르데니아가 정체불명의 세상이라도 그렇지……. 설마 진짜 초월자까지 구현 가능할 리는 없을 거야. 그래. 말이 안 돼. 그러고 보면 천원에서 벗어나지 못하는 것도 구현이 잘 안 돼서 그러는 거겠지?'

사실 그런 확신이 있으므로 마음 놓고 사는 것이기는 하다. 아무리 가상에 가까운 세계라도 정도가 있지 초월자. 그러니까 신적 존재를 구현하는 게 말이 되는가?

다만 요새는 좀 불안한 것도 사실이다.

빌딩만 한 크기에 가늠이 안 되는 수준의 속성력을 휘두르는 랜드웜 녀석을 보다 보면 에이 설마. 하면서도 혹시……? 하는 생각이 들기 때문이다.

"아, 저기!"

그때 저 아래에 있던 수인족 중 하나가 손을 들고 질문한다. 거리가 거리인지라 고함을 지를 수밖에 없다.

"그래 말해라."

"저기, 하지만 대륙 전체로 보면 이곳은 변방에 가깝지 않습니까?"

"그래서 너희가 몇이나마 죽일 수 있을 정도로 몬스터들이 약하지."

"……!"

"그런……!"

소리 없는 비명을 무시하고 설명을 이어 나간다. 특별한 힘이 깃든 용맥에 자리한 9마리의 특별한 괴물과 등급에 관한 이야기였다.

다행히 리벤지의 일반, 고급, 희귀, 영웅, 전설, 신화로 나뉘는 등급은 직관적이고 이해하기 쉽다.

"등급은 몬스터와 장비. 그리고 아직 모르겠지만 클래스나 펫 모두 공유하고 있지. 예를 들어 천원에는 신화급 몬스터가 바글바글 몰려 있다는 말이야."

내 말에 광장이 단숨에 침묵에 잠긴다.

"신화."
"신화……."
"아니 잠깐 신화라면."
모두가 질린 표정으로 날 올려다보고 있다. 정확히 말하자면 그 위를 보고 있는 것이다.

완전체(신화).
랜드윔.

"아, 그러고 보니 예시가 여기 하나 있긴 하군."
내 말에 광장이 침묵에 빠진다.
"어쨌든 설명을 계속하지."
나는 그들이 더 겁먹기 전에 설명을 이어 나갔다.
난데없이 나타난 몬스터들. 그리고 그들을 이겨 내지 못하고 대륙의 모든 세력이 멸망한 이야기.
최초의 도시. 스타팅에서부터 내가 세력을 키워 온 이야기.
내가 가진 특수한 힘.
그리고 마침내 인류제국을 만들기까지.
"확실히. 저만한 힘이라면……."
"하지만 인류제국이라니."
"정말 대륙 전체가 멸망했단 말이야? 심지어 명 제국을 흡수하고 황제는 포로로 잡아 두었다니."

"크리스털 연맹 상황을 생각해 봐……."

점점 소란스러워진다. 하기야 여태껏 갇혀 있다가 이런 식의 이야기를 들으니 당연히 할 말이 많겠지.

그러나 난 랜드윔의 머리를 찰싹 때렸다.

덩치를 생각해 보면 인지하기도 힘든 터치일 텐데도 랜드윔 녀석은 용케도 그걸 느끼고 반응했다.

훙!

마치 그림처럼 정지되어 있던 랜드윔의 몸이 움직인다. 큰 동작은 아니고 머리를 살짝 돌린 정도.

반응은 극적이다.

"헉!"

"으아악!"

"힉! 움직였어!"

아인족들이 기겁하는 모습이 보인다. 특히나 수인들이 정신을 못 차렸는데 개중 몇은 온몸을 바들바들 떨더니 기절하기까지 했다.

짐승에 가까운 만큼 랜드윔의 강함을 피부로 느끼는 모양이었다.

"생명체라잖아. 바보야! 당연히 움직이지!"

"자자, 조용! 다들 조용해!"

"모두 황제님의 말씀에 집중해!"

아인족들 사이사이 섞여 있던 지도부가 나서자 혼란스럽던 분위기가 가라앉는다.

나는 말을 이었다.

"사실 나는 여길 그냥 지나칠 생각이었다."

상황이 그렇다. 내가 지금 땅을 많이 차지해도 지킬 수가 없는 상황이 아닌가?

그럼에도 화점들을 털고 다니기로 한 것은 바둑판 외곽을 다 잡아먹고 이제 인류제국을 노리기 시작한 속성 몬스터들의 기세를 꺾기 위해서였다.

'본진이 털리면 확장된 지역은 다시 원래대로 돌아오니까.'

실제로 내가 광신자 에드워드를 죽이고 화점을 차지하면서 녀석이 정복했던 모든 던전이 리셋되었다.

착점마다 몬스터가 가득한 상황은 여전하지만 적어도 그들이 일사불란하게 힘을 합치는 상황은 막은 것이다.

실제로 이곳저곳을 날아다니면서 자기들끼리 싸우던 몬스터들을 다수 볼 수 있었다.

"나는 내 영역에 들어가는 모든 영맥에 지하도로를 뚫고 있다. 너희들이 여기까지 올라왔던 바로 그런 굴이고…… 이곳을 만난 건 우연이야. 그냥 지나갈 예정이었지."

그러나 난 지금 이 자리에 앉아 있다. 일정이 틀어진다는 문제가 있었지만, 아무리 그래도 10만이 넘는 아인족을 포기할 수는 없었기 때문이다.

그저 인명을 존중하기 때문이 아니다.

'아인족은 훌륭한 인재풀이다.'

수인족들은 태생부터 강력한 육체 능력을 가지고 있고 드워프는 유명한 대장장이 종족이다. 엘프들은 정령 친화력이 높고 식물과 감응하는 능력을 지니고 있다.

'심지어 이들이 클래스까지 얻게 된다면?'

물자는 넘치는데 인재는 부족한 제국의 상황을 생각할 때, 이만한 인재들을 버리고 가는 행동은 그야말로 황제 실격이라 할 수 있다.

"내일, 아니, 모레 아침 나는 이곳을 떠날 것이다. 목적대로 세계수를 토벌하러 갈 것이고, 지금 만들어 놓은 지하도로는 폐쇄할 예정이지."

"어째서입니까? 저런 통로가 있으면 통행에 좋지 않습니까?"

누군가의 외침에 대답한다.

"내가 몬스터를 다 쓸어 버렸다지만 잠깐일 뿐이다. 곧 다른 용맥에서 몬스터들이 몰려올 텐데 인류제국까지 연결된 지하도로를 개방해 놓을 수는 없지."

같은 이유로 거짓된 빛의 성지에 뚫었던 구멍도 메워두었다. 물론 지하에는 여전히 지하도로가 남아 있지만, 지하 100미터를 파고들어 특별히 강하게 만든 바위벽을 파괴하지 않는 이상 진입이 불가능하다.

"그러니 그때까지 결정해라. 떠날지. 아니면 남을지."

여기에서 아이언 캐슬까지의 거리는 실로 까마득하다.

1,000킬로미터의 거리를 걸어가는 건 절대 만만치 않은 일이겠지.

그러나 그들은 충분한 휴식을 취했으며 넘치도록 많은 식량을 가지고 있다.

지상에서 다른 몬스터를 만나느니 지하로 이동하는 게 100배는 나으리라.

“만약 떠날 것이라면 모레 아침까지 도시에서 챙길 수 있는 모든 걸 챙겨 이 자리로 돌아와라. 너희가 지하도로를 이용해 인류제국에 도착한다면 제국은 너희를 우리와 동등한 제국민으로 받아들일 것이다. 이를 인류제국의 황제. 한재연의 이름으로 보장한다.”

물론 강제할 생각은 없다.

불만을 품은 이들을 받아들이면 괜히 제국에 분란의 씨앗만 싹트기 때문이다.

“또한, 남을 자들 역시 이틀 후 이 자리에 있다면 충분한 양의 식량과 적들에게 대항할 수 있는 장비를 제공하겠다. 물론 돌아오지 않아도 상관은 없다.”

내 말에 아인족들 사이에서 다시 대화가 오가기 시작한다. 당연한 흐름이었기에 나는 마지막으로 말했다.

“기억해라. 내일 모래 아침.”

쿠구구구궁!

랜드웜이 굉음과 함께 자리를 이동한다. 나는 잽싸게 장비를 변경했다.

'아, 제길 이걸 잊다니.'

그나마, 꽤 거리가 있던 장소에서 이야기했다는 사실을 위안 삼으며 랜드웜을 돌려보낸다.

그리고 그런 내게 한 무리의 아인족들이 다가온다.

"관대하시군요. 당연히 저희를 강제할 것이라고 생각했는데."

먼저 말을 건 이는 훤칠한 키에 호리호리한 몸매를 가진 녹발의 여인이다. 기다란 귀와 빼어난 미모는 엘프라는 종족이 가진 선입견 그대로다.

"그냥 여유가 있으니 했을 뿐이지."

"정말…… 측량하기 어려운 그릇이시군요. 뵙게 되어 영광입니다. 폐하. 흑단나무 일족을 이끄는 나샤 블랙우드입니다.

뒤이어 드워프 노인이 앞으로 나선다. 역시나 작은 키에 풍성한 수염, 떡 벌어진 어깨를 가지고 있는 전형적인 모습.

"만나서 반갑소. 인간의 황제여. 강철모루 부족을 이끄는 테라라고 하오."

오만하고 고집불통이라는 드워프의 소문과 달리 그의 태도는 매우 정중했다. 하기야 지금 이 상황에서 내게 건방지게 굴 정도로 멍청하다면 지금껏 살아남지 못했을 것이다.

마지막으로 나선 것은 얼굴에 흉터가 가득한 중년 사내다.

"반갑소. 사나운 이빨 부족을 이끄는 붉은 송곳니요."

인간과 비슷해 보이지만 고양이의 그것과 닮은 코와 귀. 그리고 2.5미터의 신장은 그가 인간과는 좀 다른 존재라는 걸 알려 준다.

'호인족(虎人族)이군.'

수인 중에서도 최상급 전투력을 가진 존재다.

"그래, 반갑군. 한재연이다."

그렇게 말하며 그들의 뒤를 본다. 던전이 클리어되어 몬스터가 사라진 도시에 10만의 아인족들이 흩어지는 모습이 보인다. 이곳 출신인 그들은 도시 곳곳에 있는 재산과 서적, 그리고 식량과 의복 등을 챙겨서 돌아오겠지.

"시간을 끌 필요는 없겠지."

테라가 품을 뒤지더니 책자 하나를 꺼내든다. 그리 큰 사이즈는 아니었다. 수첩과 공책의 절반쯤 되는 크기와 두께.

그러나 금을 씌운 만든 커버에 달려 있는 복잡한 장치는, 그 책자가 보통의 물건이 아니라는 사실을 증명하고 있었다.

"이건?"

"역사와 전통이 있는 책을 구한다고 들었소. 강철 불꽃 기술서요."

"오?"

놀라서 탄성을 내지를 수밖에 없었다.

'아니? 이렇게 쉽게?'

느닷없는 보물급 서적의 등장에 정신이 번쩍 든다.

심지어 그게 끝이 아니었다.

"여기."

슥 다가온 나샤가 작은 책자 하나를 넘긴다. 특이하게도 잎사귀를 엮어 만든 책이었는데 그 잎사귀들이 살아있기라도 한 듯 생생하다.

"이 흐름이라면……."

"네. 세계수의 서입니다."

엘프와 드워프가 각자의 보물을 넘긴 것이다.

'당연히 용맥 근처에 있을 거라고 생각했는데 여기에 둘 다 있었을 줄이야.'

황당해하는 내게 붉은 송곳니가 말한다.

"우리는 무식해서 그런 귀한 책 같은 건 없소. 대신 베리언트 레인저를 보내 드리겠소. 극한의 훈련을 통과한 인재니 쓸 데가 있을 것이오."

느닷없는 선물 세례. 난 물을 수밖에 없었다.

"왜지? 단지 내가 너희를 구해 줬기 때문은 아닌 듯한데."

내 말에 아인족의 우두머리들이 서로 눈짓했다.

그리고.

털썩.

동시에 무릎을 꿇었다.

"……무슨 일이지?"

"황제여. 우리는 인간을 믿지 않소. 대륙의 역사가 시작된 이래로…… 그들은 끊임없이 우리를 차별하고 욕망해 왔지."

사실 엘프와 드워프는 그렇게 사이가 좋지 않다. 쇠와 불꽃을 사랑하고 땅을 파내는 드워프와 숲의 수호자를 자처하는 엘프는 태생적으로 친하게 지낼 수 없는 존재.

수인족도 상황은 마찬가지다.

수인족이라고 뭉뚱그려 말하지만……. 사실 그들 사이에서도 어마어마한 차이가 존재한다. 묘인족과 견인족은 문자 그대로 개와 고양이 관계이며 사슴, 토끼 같은 초식 수인들은 호랑이, 늑대 같은 육식 수인과 함께 있는 것만으로도 본능적인 공포를 느낀다.

그런데 그들이 모두 모여 크리스털 연맹을 만들었다.

어떻게 그런 일이 가능했을까? 아인들이 공동의 이익을 위해서라면 개인의 호오(好惡)를 초월할 정도로 합리적이어서? 사실 그들 모두가 완벽히 정치적 올바름을 추구하고 있어서?

'그럴 리가 있나.'

모두 다 인간 때문이다.

그들이 서로를 꺼려하는 것보다…… 인간을 훨씬 더 혐오하고 경계하기 때문에.

"틀림없는 사실이군. 하지만 그래서? 나 역시 인간인데."

"우리를 인간에게서 보호해 주시오. 우대해 달라고는 하지 않겠소. 지금도. 그리고 앞으로도…… 인간들의 욕망이 우리를 노예 삼는 일이 없었으면 좋겠소."

"정확히 말하라."

내 말에 나샤가 고개를 조아린다.

"법으로 노예를 금지하길 부탁드립니다. 그것만 약속해 주신다면 아인들 모두가 황제폐하께 충성을 다할 것입니다."

그들의 말에 웃는다. 고민할 필요도 없는 문제다.

"좋다."

"어렵다는 걸 알고 있소…… 뭐라고?"

테라가 지금까지의 진중함도 잊고 멍한 표정을 짓는다. 그의 수염이 파르르 떨린다.

붉은 송곳니도 당황하며 묻는다.

"제대로 들은 거 맞소? 노예제를 영구적으로 폐지해 달라고 말하는 거요."

"잘 들었으니 걱정할 것 없다. 이미 말했지 않나. 제국은 너희를 모두와 동등한 제국민으로 받아들일 것이다."

"아니…… 정말로?"

"황제여, 진심이십니까?"

너무 가볍게 대답하니 되레 부탁하러 온 쪽이 당황한다. 나는 고개를 끄덕였다.

"너희가 걱정할 일은 없을 거다. 오히려 좀 섭섭하군.

그렇게 내가 믿음직스럽지 않은가?"

"아, 아니 그런 건 아닙니다."

"당신이 일개 낭인이어도 믿을 판국에 황제기까지 한데 어찌 의심하겠소?"

테라가 그렇게 말했지만 붉은 송곳니는 혼란스러운 표정이다.

"아니 하지만 노예제를……."

"됐고, 돌아가서 일족을 다스려라. 포로로 잡혀 있던 인원들이 많으니 여러모로 어수선할 것이다."

내 말에 우두머리들이 서로 눈치를 보더니 공손히 예를 표하고 뒤로 물러난다.

나는 강철 불꽃 기술서와 세계수의 서를 들고 근처에 있는 널찍한 바위 위에 앉았다.

"로그아웃."

원룸으로 이동한다. 그리고 주먹을 불끈 쥐었다.

"대박!"

그야말로 길 가다 황금을 주운 격이다. 전혀 예상치 못한 성과라 어안이 벙벙할 지경.

나는 크게 심호흡하며 벌렁거리는 가슴을 가라앉혔다.

"흥분하지 말자…… 이것도 중복일 거야. 정령술이나 제작 기술을 굳이 새로 설정할 이유가 없잖아?"

마도전서가 그러했듯 이 책들 역시 후원이 깎여서 들어올 것이다. 정체불명의 후원자들은 작품에 담긴 업(業)은 물론이고 그 업에 담긴 오리지널리티를 중요시하는 모양이니까.

"뭐, 그래도…… 몇억 정도는 될 테니까."

무심코 그렇게 말했다가 그만 헛웃음 짓는다.

몇억 '정도는'이라니?

작년만 해도 편의점 알바를 하고 있던 놈이 했다고는 믿을 수 없을 정도로 배부른 소리다.

"아, 금전 감각이 고장 나서 큰일이네……."

백과사전 때의 폭풍 같은 15억 후원, 그리고 네메시스 주식 대박의 여파였다. 갑작스럽게 너무 큰돈을 만졌던 경험 때문에 금전 감각이 맛이 가 버린 상태.

지금만 해도 그렇다.

사실 난 일을 시작할 수 있다. 아직 마이너스 과금력을 다 갚지 못한 지금도 작년의 나보다 훨씬 높은 스텟을 가지고 있기 때문이다. 예전의 내가 그랬듯 편의점, 클럽 기도, 생산 공장 콤보로 24시간 노동을 할 수 있는 상황.

그러나 난 그러지 못했다. 아니, 그러지 않았다. 물론 지금도 열심히 사는 건 사실이지만…….

'옛날과 비교할 수 없지.'

주식을 사기 위해 돈을 모았던, 반복되는 매일, 반복되는 노동에 정신이 이상해진다고까지 느끼던 나날에 비하면 그야말로 여유 만만한 매일매일.

24시간을 쪼개 사용하는 대신 차라리 침대에 누워서

자는 사치스러운 경우조차 있었다.

"일당 수십만 원 정도로는 만족할 수 없는 몸이 되어 버려……."

그래.

난 이미 타락해 버렸다.

그러나 어쩔 수 없다.

일당으로 30만 원을 벌면 '클래스 카드를 30장이나 살 수 있는 돈!'이라고 생각했던 과거와 달리 지금의 난 '이렇게 1년 내내 모아 봐야 간신히 1억 버나?'라고 생각하게 되었으니까.

"로그인."

아르데니아로 들어가 강철 불꽃 기술서를 펼친다.

팔락!

한 손에 딱 들어가는 사이즈는, 옛날 장르 소설책처럼 읽기도 편하다.

"아…… 역시 되게 얇네. 분량이 짧다고 후원 조금 해주지는 않겠지."

불안해하면서도 필사를 시작한다.

"로그인."

"로그아웃."

진전이 엄청나게 빠르다. 내 속도가 올라가서라기보다 책이 얇은 덕분.

난 고작 한나절 만에 책의 반절 정도를 옮겨 쓰고 잠시

숨을 돌렸다.

고개를 들어 보니 저 멀리에서 부지런히 움직이는 아인족들이 보인다.

그들 중 상당수가 내 모습을 훔쳐보고 있지만 별로 부담스럽지는 않다. 어차피 인류제국에서 항상 겪는 일이다.

문득 아인족들의 우두머리들이 한 부탁이 떠올랐다.

"……노예제도 폐지라."

만약 그들이 인류제국의 사정을 알았다면 이런 부탁을 하지 않았을 것이다.

민주주의가 안 퍼졌을 뿐이지, 이미 인류제국은 법치(法治)국가의 영역에 들어가 있다.

황제 아래 모두가 평등한 세상.

귀족도 몽땅 다 없애 버렸을 정도이니 사노예 따위는 이미 옛날에 다 금지한 상태다. 지금에 와 굳이 노예를 찾자면 죄를 지어 체포된 노예병 정도겠지.

'여러모로 시끄러웠지.'

급격한 변화였다. 과거의 중세랜드에서는 상상도 할 수 없는 시스템에 온갖 말이 많았던 것은 물론이다.

사실 정치는, 이렇게 하면 안 된다.

흔히 폭군이 뭐든 제 맘대로 한다고 착각하지만, 그것은 천만의 말씀.

아무리 많은 권력을 가진 황제라도 절대 유력자 전체를

적으로 돌리지 않는다.

그 정도로 멍청한 지도자라면 등 뒤를 찌르는 칼맛을 보는 게 당연하기 때문이다. 절대 권력을 누리던 카이사르조차 수십 번의 칼질로 살해당하지 않았던가?

천하를 도탄에 빠트리고 수십만 백성를 학살한 폭군은 떵떵거리며 살지만.

유력자들에게 밉보인 지도자는 아무리 훌륭해도 반란의 쓴맛을 보는 게 세상의 이치.

그런 면에서 힘 있는 자들에게 목줄을 채우고 그들이 원하지 않는 형태로 제국을 짜 올리고 있는 난 언제 죽어도 이상하지 않은 상황이다.

그러니까.

상식적으로는 그렇단 말이다.

"어림없는 소리지."

아르데니아의 나는 상식적인 존재가 아니다.

인류제국의 전력을 100이라고 하면 그중 95가 나.

솔직히 95도 아주 겸손하게 잡은 수치이며…… 중요한 건, 이 사실을 나 혼자 아는 게 아니라 제국 전체가 알고 있다는 점이었다.

신하들이 사사건건 개혁을 방해하고 목소리를 높이는가?

스스로의 힘이 부족한 것이 아닌가 고민하라.

반란이 일어났는가?

스스로의 힘이 부족한 것이 아닌가 고민하라.

사극에서 왕이 마음에 안 드는 행동을 했을 때 신하들이 우르르 나서서 [저언하~! 통촉하여 주시옵소서!] 하고 목소리를 높일 수 있는 건.

다른 신하들이 자신의 의견에 동조할 거라는 믿음이 있거나 왕이 홧김에 자신은 죽여도 자신의 가문이나 세력 전체를 어찌할 수는 없다는 믿음이 있기에 가능한 행동이었다.

인류제국에서는 어림도 없는 일.

정치는 어려운 것이지만, 충분한 힘이 있다면 그만큼 쉬운 게 또 없다.

"문자 그대로 폭군의 논리구먼."

피식 웃으며 필사를 이어 나간다. 그리고 그때였다.

"냐옹 냐옹 냐옹."

평소 울 일이 없던 체다가 울기 시작한다. 고개를 돌려 마주 보니 체다가 말한다.

"앨런 감독님의 메시지가 도착했습니다.

"뭐야, 장문인가 보네. 읽어 줘."

내 말에 체다의 목소리가 변한다. 일반 메시지가 아니라 음성 메시지인 모양이다.

"오랜만이야, 재연 씨. 용건 세 개야."

"두괄식이시네."

필사를 이어가며 말을 듣는다.

"첫째로 노블레스에 진출한 교수 지망생 반응이 아주 좋아! 아니 글쎄 드래곤들이 재연 씨 귀엽다고 아주 자지러진다고 하더라고! 드래곤이 수는 얼마 안 돼도 하나같이 재벌 이상인 건 알지? 수익 기대하도록 하고 나중에 팬 서비스하러 드래고니안 한 번 가야 할지도 모르니까 참고하고 있어! 무슨 매니저도 없어서 일정 조율을 직접 해야 하는지 모르겠지만!"

나는 멍하니 그 말을 듣고 있다가 황당해 웃었다.

"아니, 갑자기 드래곤이라니."

대우주 전체를 지배한다고 해도 과언이 아닌 연합. 그리고 그 연합의 두 기둥이라 불리는 노블레스와 엘로힘.

그중 노블레스는 우주의 귀족이다.

태어날 때부터 초월이 약속된 초월종으로 이루어진 세력으로 초월종 중의 초월종이라는 용종부터 초능력 고양이라 불리는 프라야나.

아이언 하트를 개발한 캔딜러 성인. 제천대성을 배출한 것으로 유명한 돌원숭이족이 여기에 속한다.

'뭐, 막상 제천대성은 엘로힘에 들어갔지만.'

엘로힘은 스스로를 갈고닦아 초월의 경지에 이른 이들의 집단이다.

대부분 물질계에 살고 있는 노블레스와 달리 선계(仙界)라 불리는 차원을 근거지로 하고 있으며 옥황상제라 불리는 초월적인 존재가 가장 꼭대기에 있다.

"어이가 없네. 아르데니아에서는 드래곤은 고사하고 드래곤 시체도 감당이 안 되는데 여기서는 스타와 팬으로 만나야 한다니."

뭐, 그래도 수익이 들어올 기미가 보인다는 것은 희소식.

체다가 메시지를 계속 읽어 주었다.

"둘째로 다음 작품 찍게 될 거 같으니까 내년 3월부터 스케줄 잡지 마! 이건 천천히 이야기하면 될 문제고…… 그리고 셋째로."

체다가 잠시 말을 멈췄다 이내 다시 입을 연다.

"에휴…… 미안. 내가 재연 씨 연락처를 줬어. 이러면 예의가 아닌 걸 아는데 오래 알아 온 작은 친구가 하도 닦달해서 어쩔 수 없었어. 그래도 그 친구가 대한민국 예능 PD 중 첫째니까 알아 두면 나쁘지 않을 거야."

"엥? 예능 PD?"

뜻밖의 말에 의아해 하는 순간이었다.

"냐옹 냐옹 냐옹."

"통화?"

"등록되지 않은 연락처입니다. 상대방의 이름은 슈퍼냥 나태석입니다."

"슈퍼냥?"

의아해하며 체다의 코를 누른다. 앨런 소개에 첫째가는 PD라는데 무시하기도 애매하다.

"동기화 요청이 있었습니다. 받아들이겠습니까?"

"동기화는 또 뭐야. 그래 받아들여."

내 말에 체다가 온몸을 한 차례 부르르 떤다.

그리고.

우웅!

녀석의 몸이 허공에 떠오르더니 그 형태를 바꾸기 시작한다.

"모습이……."

체다의 형태는 흔히 말하는 치즈냥이다. 종으로 치면 코리안 숏 헤어.

그러나 허공으로 떠오른 체다는 삽시간에 그 모습을 바꿨다.

전체적으로 회색빛을 띄는 흰색 몸통에 귀, 꼬리, 주둥이, 다리 끝이 초콜릿 빛을 띠는 샴 고양이.

녀석은 날렵하게 책상 위로 올라가더니 고개를 도로록 돌려 나를 바라보았다.

"아! 반갑습니다! 재연 씨! 방송일 하는 나태석이라고 합니다!"

간단한 인사였지만 그것만으로 몇 가지 알 수 있었다.

'유명한 PD긴 한가 보군.'

만약 어중간한 PD였다면 자신이 담당하는 프로그램을 댔을 텐데 그냥 이름만 댄다. 나는 샴 고양이를 보며 고개를 끄덕였다.

"반갑습니다. 나태석 님. 지금 고양이 모습으로 이쪽을 보고 있는 겁니까?"

내 말에 고양이. 아니 태석이 흠칫 놀란다.

"앗, 이, 이런 무안할 데가…… 이건 제 본모습입니다."

"아."

그의 말에 나도 깜짝 놀랐다. 설마 무슨 고양이 요괴이기 때문은 당연히 아닐 것이기 때문이다.

'아니 그럼 프라야나라는 말 아니야?'

흔히 초능력 고양이라 불리는 프라야나는 드래곤과 맞먹는 성세를 자랑하는 초월종이다.

슈퍼컴퓨터를 넘어서는 엄청난 두뇌 능력을 소유했다 알려진 그들은 태어날 때부터 중급 마족 정도는 간단히 살해할 수 있는 초능력을 지니고 있었다.

"아이고, 제 소개가 너무 대충이었군요. 나태석이라고 합니다. 성간 여행. 서바이벌 아일랜드. 드림 팩토리라는 프로그램을 연출했고요. 이미 20년 전에 망명한 한국 고양이입니다."

"아니, 고양이라니…… 그, 종족 차별 같은 게 아닐까요?"

"왜요? 고양이가 얼마나 귀엽고 좋은데. 그리고 차별은 위에서 아래로 하는 겁니다. 누가 감히 초월종을 차별하나요?"

유쾌하면서도 뚜렷하게 드러나는 자신감.

나는 고개를 끄덕였다.

"서바이벌 아일랜드라면 알고 있습니다."

TV를 별로 안 보는 나지만 그래도 겸사겸사 아는 작품들이 있어 아는 체했더니 태석이 반색한다.

"아! 그거 좀 더 말씀드리기 쉽겠군요. STN 최장수 프로그램 서바이벌 아일랜드에서 요번에 우주 전쟁이라는 대규모 프로젝트를 진행할 예정입니다! 이 우주 전쟁이라는 콘셉트가 [교수 지망생]에서의 황제님과 참 잘 어울리는데요!"

"아, 네……."

샴 고양이가 점점 고양되는 목소리로 말하지만, 솔직히 별생각이 안 든다.

'흠 예능이라.'

예능 섭외가 처음은 아니다.

교수 지망생이 큰 성공을 거두면서 아무도 모르던, 그러면서도 인상적인 연기를 펼쳤던 내게 큰 관심이 쏟아졌기 때문이다.

그러나 난 다 거절했다.

페이 때문이다.

'솔직히 30만 원 받자고 굳이 얼굴을 팔고 돌아다닐 필요가 없었으니까.'

생각보다 출연료가 아주 낮았다. 유명해지고자, 스타가 되고자 하는 생각이 전혀 없는. 오직 돈 하나 때문에 일을 하는 내게 예능은 그다지 매력적인 선택지는 아니었다.
과연 태석은 그런 내 기색을 눈치챘다.
"앗, 별로 안 끌리시나요. 그럼 이건 어때요?"
"이거?"
"네! 이번 프로젝트에는 스페이스 스타인 F·D가 게스트로 참여할 예정이거든요!"
"에프디가 뭡니까? 무대 감독?"
"아니, 아예 모르는 겁니까……."
태석이 허망한 표정을 짓는다. 나는 이야기가 너무 길어진다는 생각에 묻는다.
"출연료는 얼마나 됩니까?"
"아! 내정된 출연료는 250만 원입니다."
지금까지 섭외 중에서는 수위권을 좋은 조건. 나는 조금 마음이 동하는 걸 느끼며 물었다.
"촬영 시간은 얼마나 되나요?"
"서바이벌 아일랜드에 대해 아시겠지만 촬영 시간은 꽤 되는 편입니다. 세트장까지 이동하는 시간까지 있어서 7일 정도 걸리지요. 그 사이 식비, 숙박비, 의상비 등은 모두 저희 팀이 책임져 드립니다!"
당연히 끌릴 거라는 듯한 태도지만 내 생각은 달랐다.
무려 일주일.
'에이.'
마음이 확 식는다.

눈치 빠른 고양이는 그걸 바로 눈치채고 말을 이었다.

"아앗! 저희 프로그램은 34지구뿐만 아니라 다른 행성에도 방송되고 있는 우주급 인기를 자랑하고 있어요! 출연하시면 인지도가 한층 더 올라갈 거예요."

그러나 약하다. 무엇보다 지금 난 온갖 대회를 나가고 있는 상태가 아닌가?

참여자 대부분이 직장인, 학생인 소규모 대회들의 상금은 얼마 되지 않는다고 해도 100만 원은 기본으로 넘는 상황.

무엇보다 대회는 기껏해야 1~2시간이면 해결이다.

심지어 그 모든 것조차 과정일 뿐이고 프로 대회에 나가면 훨씬 페이가 좋아지지 않던가?

"흠. 죄송합니다. 제가 당분간은 시합이 잡혀 있어서."

"아, 아니. 네? 정말로?"

설마 거절당하리라고는 예상치 못했는지 황망한 표정을 짓는다. 고양이가 저런 표정을 지으니 과장된 표현의 만화를 보는 것 같다.

"알겠습니다. 그렇다면, 400만! 400만 원 어떠세요?"

단번에 출연료가 두 배 가까이 뛰는 마법에 어이가 없어 묻는다.

"그렇게 더 주셔도 됩니까?"

"당연히 안 되죠! 저희도 내부 기준이 있어서…… 이건 제 사비를 더하는 겁니다. 어때요? 이 정도면 할 만한가요?"

그의 말에 잠시 고민한다.

400만 원.

상당한 돈이긴 하지만 요새 배우보다는 작가로 나가는 게 더 이득이라는 생각이 들기 시작한 상황이다.

지금만 해도 강철 불꽃 기술서와 세계수의 서를 옮겨 쓰는 상황이고, 무엇보다 제국민들이 미친 듯 글을 쏟아 내는 상황이라지 않은가?

괜히 연예인이 되어 이런저런 일정들이 생기면 리벤지를 돌리기만 불편해질 것 같다.

"죄소……."

"재연 씨! 생각해 보세요. 저희 프로그램은 34지구뿐만이 아니라 다른 행성에도 방영되며, 재방송도 잦을 정도로 인기 프로그램입니다! 와옹, 제 입으로 이런 말하기 부끄럽지만, 인지도 상승에 제 프로그램만큼 좋은 게 없어요. 재연 씨 마이튜브도 하시지 않습니까?"

흥분해서인지 나태석의 목소리에 와옹! 하는 고양이 소리가 섞여 있다.

"네, 그렇습니다만……."

"글도 쓰고 계시죠? 엄청나게 왕성히 활동하시는 작가님이라고 하더군요! 다만 조회 수가 많이 아쉬운 편입니다! 제가 읽어 보니 작품성들은 아주 뛰어나더군요!"

다급해서 아무 말을 하는 건지 조사를 잘한 건지 모르지만 어쨌든 틀린 말들은 아니다.

책상 위의 샴 고양이는 열정적으로 날 설득했다.

"흠."

나는 고민했다.

그리고 결정했다.

"우웨오옹!"

그러나 답변하기 전에 태석이 괴성을 질렀다. 그야말로 짐승의 소리에 어이가 없어 바라보자 태석이 버럭 소리친다.

"지금 거절하려고 했죠! 아니 어떻게 여기에서 거절할 생각을 해요! 얼굴 팔릴 게 두려운 일반인도 아니고 이미 유명하신 배우잖아요!"

이 고양이 녀석 눈치가 정말 장난이 아니다. 프라야나족이 가지고 있다는 초능력일까.

"아니, 뭐. 그렇게 말하셔 봐야."

"제 사비를 100만 추가해서 총 500만 맞춰 드리겠습니다!"

"흠."

내가 계속 고민하자 태석이 한층 더 진지한 목소리로 말했다.

"재연 씨. 인지도는 강력한 힘입니다. 당장 받는 돈이 전부가 아니에요. 일단 인지도를 쌓기만 하면 소설로도 영상으로도 지금과 비교할 수 없을 정도의 돈을 벌 수 있게 됩니다."

틀린 말은 아니다. 실제로 [황제]라는 인지도 덕분에 구독자가 붙게 된 것도 사실이기 때문이다.

다만 의문이 있다.

"왜 이렇게까지 하십니까?"

내가 꽤 유망한 라이징 스타인 건 사실이지만 한 손에 꼽히는 스타 PD가 사비를 쓰는 건 아무리 봐도 정상이 아니다. 아니면 아닌 거지 이렇게 무리해서 섭외할 이유가 있을까?

과연 이유가 있었다.

"아, 사실……. 스페이스 스타인 F·D 쪽에서 출연 조건으로 재연 씨 섭외를 걸었거든요. 워낙 모시기 어려운 분들이라……."

아무래도 우주급으로 유명한 스타가 나를 보고 싶어 하는 모양이다.

'그나저나 요새 너무 일만 했나 누군지 모르겠네. 가수인가?'

나는 잠시 고민하다 답했다.

"……좋습니다. 촬영은 언제입니까?"

"아! 후회하지 않으실 겁니다!"

결국 촬영 스케줄에 대해 논의한 후 통화를 마무리했다. 난 통화를 끊고 생각에 잠길 수밖에 없었다.

"예능이라……."

영화 [교수 지망생]으로 상당한 인지도를 얻은 상태라

하더라도 내 경력은 실로 보잘것없다. 영화 한 편 찍은 게 전부니 사실 배우라고 부르기도 민망할 지경.

태석 PD의 제안은 그런 어정쩡한 위치에 서 있지 말고 완전히 연예계로 들어오라는 것이나 다름없었다.

"하기야. 빚만 다 갚으면 영화도 찍을 예정이긴 했지."

솔직히 연예인의 삶을 동경하지는 않는다. 나는 예술에 관심이 없는 인종이기 때문이다.

극장에 가 영화를 본 건 중고등학교 때 친구들과 함께 했을 때가 마지막이다. 드라마나 예능 따윈 알지도 못하고 소설도 거의 읽지 않는 비예술인.

그러나.

"그쪽이 돈이 벌린다면…… 해야겠지."

화점들을 먹어야 한다. 거기에 최소 전설, 최대 신화급 성을 짓고 방어용 부속 건물을 설치해야 하며 상당수의 병력을 상주시켜야 한다.

'결국, 또 돈이지.'

정말 끝없이 벌어야 한다.

과금력의 존재를 깨달았으니 그것을 쌓으면 어떤 일을 할 수 있는지 알기 위해서라도 더 벌어야 하는 상황.

"그 예능인가 뭔가 나가기 전에 강철 불꽃 기술서 필사를 다 해야겠다. 가능하면 세계수의 서도 일정 시작 전에 필사해야지."

아마 둘 다 마도 전서, 혹은 그 이하의 효율을 낼 것으로 생각한다. 병기 제작 기술과 정령술은 당연히 현실에서 모티브를 가져다 썼을 것이기 때문이다.

"마지막 희망은 빛의 성서인데…… 아씨. 이것도 성경 베낀 거면 어떻게 하지?"

불안해하며.

나는 오늘도 필사를 이어 나갔다.

"로그인"

뚝딱! 뚝딱!

깡! 깡!

다음 챕터를 읽다가 문득 고개를 들자, 포로로 잡혀 있던 몇을 제외하고는 모두가 활발한 태도로 작업을 이어 나가는 모습이 보인다.

지하에서 며칠간 고기를 먹으며 회복시킨 덕에 체력은 충분하다.

"이봐! 여기 나사 좀 박아 봐!"

"바퀴 더 만들어!"

"비교적 가벼운 물품들은 그냥 지게로 이고 가!"

아인족들은 도시를 샅샅이 뒤져 쓸 만한 모든 물건을 긁어모아 새로이 만든 마차에 싣고 있었다.

물론 그것 중 상당수가 아이언 캐슬에 가면 쓸모없어질 것들이지만 굳이 가져가는 것을 말리지는 않았다.

"그나저나 15만이라…… 여러 도시로 흩어지지 않으면 이번에야말로 아이언 캐슬이 꽉 차겠군."

미리미리 주민들을 흩어내고 있었기에 여유 있다 생각했는데 갑자기 이 정도의 인원이 들어올 줄은 몰랐다.

'수인족은 지금 당장 와일드 보어에 집어넣어도 고기 생산을 할 수 있겠지. 아니 식량은 이미 충분하니 플레이어로 만들어 고급 던전이나 희귀급 던전을 돌리는 것도 좋은 방법이다. 아인족 전용 심법이 뭐가 있었지? 마이튜브를 검색해 봐야겠다.'

그렇게 생각하며 필사를 이어 나간다.

그리고 다음날 아침.

나는 별다른 문제없이 강철 불꽃 기술서의 필사를 마칠 수 있었다.

"과연……."

마지막 게시물을 올리고 조마조마한 마음으로 기다린다.

이내 모든 게시물에 조회 수가 오르고…….

[와우! 갤럭시님께서 드래곤 스톤 250만 개를 후원하셨습니다!]

"어디 보자…… 2억 5천만 원이군."

지금껏 얻었던 보물급 서적 중 가장 적은 후원금.

그러나 필사에 걸린 시간이 하루밖에 안 된다!

"크, 일당 2억 5천."

뿡이 차오르긴 하지만 보물급 서적이 이제 얼마 남지 않았다는 점이 문제다. 지금까지처럼 대박 후원을 받을 일은 이제 없을 것이다.

[갤럭시 : 이런 중복 자료가 용케 배부르네.]

“역시 중복 자료라 이 말이군. 이…… 배부르다는 게 뭔 감성인지는 모르겠지만.”

어쨌든 당장의 빚 청산이 빠르다는 건 희소식. 난 쉬는 대신 바로 세계수의 서 게시판을 생성했다.

강철 불꽃 기술서가 그러하듯 얇은 책자.

‘이것도 하루면 되겠다.’

다시 하루에 걸쳐 세계수의 서를 필사한다.

[와우! SF-elf님께서 드래곤 스톤 270만 개를 후원하셨습니다!]

[SF-elf : 아직도 오지에 엘프가 남아 있나?]

강철 불꽃 기술서보다 조금 더 높은 후원금.

“어라, 이름에 엘프가 붙어 있잖아? 게다가 질문 느낌의 후원 메시지!”

나는 잽싸게 메시지를 날려 보았다.

[안녕하세요. 글쓴이입니다. 말씀대로 엘프들에게 얻어 낸 지식입니다. 혹시 관련해서 이야기를 나눌 수 있을까요?]

혹시라도 후원 기준이나 이유에 대한 정보를 알 수 있을까 하는 생각에 벌인 시도.

그러나 결과는 지금까지와 똑같다.

“아, 또 씹네.”

몇 시간을 기다려도 아무 반응 없는 모습에 혀를 찬다. 후원을 팍팍 쏴 주는 고마운 형님들이지만 도무지 정체를 모르겠다.

“SF 엘프라…… 우주 엘프 뭐 그런 건가? 아니면 기계식 엘프?”

투덜거리며 과금력을 확인한다.

(−432,155,970원)

“뭐, 그래도 많이 갚았네.”

스텟은 상당히 많이 돌아왔다. 이 정도면 교수 지망생을 촬영할 때와 비슷한 수준.

‘즉, 촬영을 진행하기에 충분하다는 말이지.’

나는 나태석PD가 추가로 보낸 메시지에 적힌, 촬영 일정과 질문지를 확인했다. 보아하니 나중에 방송 작가와 사전 인터뷰도 한 번 해야 한다고 한다.

"어디 보자. 촬영 일이…… 늦여름이네."

다행히 여유가 아예 없는 건 아니어서 시합은 다 할 수 있을 듯했다. 잘하면 프로 대회도 나갈 수 있었고.

"로그인."

아르데니아로 들어선다. 들고 있던 두 서적을 포개서 백팩에 챙겨 넣은 뒤 자리에서 일어났다.

저 멀리 능선을 가로지르며 고개를 내미는 태양이 보인다.

"시간이 됐군."

약속 장소로 이동한다. 그곳에는 평원을 가득 채울 정도로 많은 아인족과 그들 사이사이에 쌓여 있는 온갖 집들이 보인다.

놀랍게도 고작 이틀 만에 수천 대가 넘는 수레나 마차가 만들어져 있다.

"드워프가 많아서 그런가. 얼마 안 되는 시간이었는데 대단하네."

"몬스터들이 도시의 물품들을 거의 건드리지 않았던 덕도 큽니다. 게다가…… 어쩐 일인지 훌륭한 목재가 잔뜩 있더군요."

어느새 다가온 엘프들의 우두머리, 나샤 블랙우드의 설명에 웃는다.

'드랍 템이군.'

세계수 휘하의 고급 몬스터가 전부 엘프인 것은 아니

다. 그러면 스페셜 보스가 엘프 여왕 뭐 이런 종류였겠지.

녀석의 던전에는 드라이어드(고급)이 존재하며, 녀석의 드랍 테이블에는 상급 목재가 존재한다.

“목재뿐이 아니지?”

“네, 산더미 같은 골드와…… 온갖 장비들이 가득합니다. 그…… 탄환? 이라는 것도 많아서 헬라인이 자지러지더군요.”

“그래, 짐작하고 있었지.”

아닌 게 아니라 어제 저녁 즈음에 이런 메시지가 떴다.

[세계수의 정원에서 헬라인 님이 K-2 소총(희귀)를 획득하였습니다!]

드랍된 지 한참 되었을 텐데 전체 메시지가 지금 뜨는 이유는 명확하다.

‘몬스터들이 아이템을 습득하는 건 메시지가 뜨지 않으니까.’

어쩌면 지금, 이 순간에도 다수의 몬스터가 아이템 공장을 돌리고 있을지도 모른다.

몬스터가 아이템을 얻는 것까지 월드 메시지가 떴다면, 마치 수십 수백만의 플레이어가 사냥하는 리벤지 화면처럼 월드 메시지가 계속해서 떠올랐겠지.

“그래도 이 정도면 이득이 크네.”

광신자 에드워드가 끌고 왔던 병력을 전멸시켰을 때에도 이랬다.

녀석들은 단지 정해진 장비만이 아니라 들고 있던 무기, 입고 있던 장비 모두를 떨궜다. 초기에 들고 있던 장비가 아니라 드랍 템을 둘둘 두르고 있었던 것!

'스스로 두르고 있는 장비보다 드랍 템이 더 좋다는 사실을 안 거지.'

리벤지의 드랍 테이블은 대형 개 몬스터를 죽였더니 마법서가 떨어질 정도로 제멋대로다. 계속해서 죽여 떨어지는 아이템 중 좋은 것들만 모아 활용한다면 훨씬 좋은 장비를 갖추는 것 정도는 간단했으리라.

"골드에 대한 이야기는 미리 전했겠지?"

"아, 네. 들었습니다. 인류제국에서는 50골드는 있어야 밥 한 끼를 먹을 수 있다는…… 말도 안 되는 일이라고 생각했었지만, 여기에 쌓여 있는 골드를 보니 불가능한 일도 아니겠더군요."

과연 그녀가 그렇게 말할 광경이 드러났다.

"쏟아진다! 한곳으로 몰아!"

"아니 무슨 골드가 이렇게……."

"이건 마차에 다 실을 수가 없어! 어느 정도 포기해야 해!"

시끌시끌한 아인족들 사이로 들어가자 날 발견한 아인족들이 단숨에 조용해지며 공간을 만든다.

나는 산처럼 쌓여 있는 골드에 손을 올렸다.
팟!
골드의 산이 단숨에 사라진다.
"엇!?"
"금화가!"
나는 금화의 양을 가늠해 보았다.

[881억 3111만 3311골드]

잔뜩 쌓여 있던 골드를 쓸어 넣었지만, 그래 봐야 소지 금액에는 별다른 차이가 없다. 기본적으로 워낙 많은 골드를 가지고 있었기 때문이다.
'그새 골드가 꽤 쌓였네. 과금력을 다 갚으면 주식을 좀 사서 상점을 열어야겠다.'
그렇게 생각하며 손을 뒤집었다.
촤르르릉!
다시 골드가 쏟아진다. 다만 아까보다 훨씬 적은 양.
아인들이 의아해한다.
"아니 저게 뭐야? 금화 색이 이상한데?"
"잠깐…… 저거 백금화(白金貨)아니야?"
녀석들이 황당해하거나 말거나 마차에 백금화를 잔뜩 쏟아 놓았다. 부피가 10분의 1로 줄어들었으니 마차에 싣기에 충분하다.

나는 설명했다.

"이미 한번 말했지만, 골드의 가치가 옛날 같지 않다. 이 금화들이 많아 보이겠지만 아이언 캐슬에서는 말 그대로 정착하기 위한 자본금밖에 안 돼. 너희는 이 돈이나 물건이 아니라 스스로의 능력으로 일거리를 찾아야 할 거다."

그렇게 말한 후 몸을 돌린 난 날 기다리고 있는 나샤에게로 돌아갔다.

"그게 바로 그 플레이어의 능력이군요. 골드라면 무한대로 수납이 가능하다는……."

"그래. 너희들 역시 앞으로 얻게 될 능력이기도 하지. 그보다 책들은?"

내 말에 나샤가 나를 안내한다.

"그 읽을 수 없는 책도 다수 발견해 한곳에 모아 놨습니다."

"잘했어."

스킬북은 내가 챙겨 두기로 했다. 단순 골드와 다르게 스킬북들의 가치는 여전히 크다. 수량이 많지만 스킬북은 인벤토리 안에서 무게가 0으로 판정되기에 나 혼자서도 얼마든지 가지고 다닐 수 있다.

팟!

13종이 넘는 스킬. 심지어 희귀급도 4개나 되는 수천 권의 스킬북을 인벤토리에 수납한다.

그리고 바글바글한 아인족들 앞에 섰다.

"두 무리로 나뉘어 있군."

총 15만의 아인족 중 14만이 한 무리. 그리고 다시 1만이 한 무리다.

1만의 기준은 척 봐도 알 수 있다.

척 봐도 강건한 육체를 가진 수인족과 충실하게 무장을 갖춘 엘프와 드워프들이 자리하고 있다.

"좋은 아침입니다, 폐하."

1만의 무리 앞으로 늑대 수인 하나가 걸어 나온다. 내게는 이미 구면인 긴 다리였다.

"그래 긴 다리. 왜 따로 빠져 있지?"

"폐하께는 감사하고 있습니다. 죽음과 절망뿐이었던 저희를 구해 주시고, 살길을 마련해 주셨지요."

"하지만 그렇더라도 제국에 들어올 수는 없다는 건가?"

내 말에 긴 다리가 펄쩍 뛴다.

"아닙니다! 어찌 폐하의 세력에 들어가는 걸 거부하겠습니까? 휘하의 인간들은 믿을 수 없지만…… 그렇다 하더라도 폐하께서는 저희의 구원자이십니다."

"그럼 뭐가 문제지?"

"크리스털 연맹의 소속원의 수는 천만 명을 가볍게 넘습니다. 지금 저희는 이런 행운으로 폐하께 구함을 받았지만…… 연맹원 대부분은 그러지 못했을 것입니다. 그들을 구하고 싶습니다."

나는 수인들을 돌아보았다. 철방패와 둔기. 그리고 석궁으로 무장한 드워프 전사들과 대형 병기를 든 수인들. 그리고 화살로 가득한 화살통과 활을 장비하고 있는 궁수들이 보인다.

잃어버리기 아까운 전력이다.

"긴 다리."

"네 폐하."

"충성을 맹세해라."

내 말에 긴 다리가 갑자기 온몸을 부르르 떨었다.

그것이 반응의 전부.

녀석은 내게 묻지도, 의문을 표하지도 않았다.

털썩.

시키지도 않았는데 내 앞에 무릎을 꿇고 고개를 바닥에 박는다. 그리고 우렁차게 소리쳤다.

"검은늑대 부족 수석 레인저 긴 다리! 폐하께 영원한 충성을 맹세합니다!"

"좋다."

나는 인벤토리에서 카드 한 장을 꺼내 녀석의 등판에 올렸다.

번쩍!

희귀 등급을 뜻하는 푸른색이 녀석의 몸을 타고 터져 나오자 모두가 깜짝 놀란 표정으로 그 광경을 보았다.

"지금 이 시간부로 너를 사나운 이빨 연대(Regiment)의 최고선임 병사이자 천인장으로 임명한다. 너에게 희귀 클래스 팬텀 레인저(Phantom ranger)를 하사하니 인류제국의 이름으로 연맹원들을 구하라."

"아, 아아. 이, 이 힘은……."

"몬스터에게 대항할 인류의 힘이지."

플레이어에 대한 개념은 이미 흘려 놓은 상태였기에 이해는 빨랐다.

"충성을! 충성을 다하겠습니다!"

나는 그 자리에서 총 3개의 연대를 만들었다.

수인족들로 이루어진 사나운 이빨 연대.

드워프들로 이루어진 강철모루 연대.

엘프들로 이루어진 흑단나무 연대.

1만의 아인족 전부를 플레이어로 각성시킬 수는 없었기에 각각 500명씩 1,500명을 뽑았다. 남은 이들 중 가장 실력이 빼어난 녀석들로 뽑았음은 물론이다.

"그럼 이제 작별이군."

아인족들이 일사불란하게 지하로 내려간다. 기어 다니는 빌딩, 랜드웜이 뚫어 놓은 굴은 너무나 커서 통행이 불편하다거나 하는 일은 전혀 없다.

'8차선 도로 수준이니 뭐.'

"꼭 다시 만나자!"

"아빠! 누나 꼭 찾아와야 해요!"

“여보! 흑흑흑!”

애달픈 인사를 마지막으로.

“랜드웜.”

[오냐.]

쿠구구구궁---!

지하세계로 통하는 길을 완전히 막아 버린다.

“휴. 이거 쓸데없이 길었군. 이제 한방에 화점까지 가자.”

[그럼 전력으로 달린다!]

쿠콰콰콰콰!

귓가로 들려오는 굉음을 대충 흘려 넘기며 책을 잡아든다.

문학이 별로 발전하지 않은 크리스털 연맹이지만 책이 전혀 없는 건 아니다. 나는 녀석들이 수거해 온 8종의 소설 중 가장 장편으로 보이는 책을 펼쳤다.

[유쾌한 시케이 씨와 벌꿀 맥주.]

“드워프 세계에서 나름 유명한 작품이라던데 과연 후원이 붙을지 어떨지…… 로그아웃.”

필사를 시작한다.

그러나 채 몇 페이지 쓰기도 전.

체다가 울었다.

"냐옹."
"뭐야?"
"입금 내역이 있습니다."
"아직 인세 나올 때가 아닌데. 내역 보여 줘."
체다가 휙 몸을 돌린다. 녀석의 등판에 글자가 새겨진다.

[J.M.T엔터테인먼트에서 5억 1,856만 원을 입금하였습니다.]

"……엉?"
영화사에서 들어온 돈. 나는 멍하니 그 액수를 바라보았다. 너무 뜻밖의 단위다. 지난달 J.M.T엔터테인먼트에서 들어온 472만 원이었는데 갑자기 10배도 아니고 100배가 날아온 것이다.
"아니 잠깐…… 5억?"
나는 시야 한 편에 떠 있는 과금력을 확인했다.

(-432,155,970원)

"……."
나는 즉시 PC 앞에 앉아 은행 잔고 전부를 과금에 쏟아부었다.

그리고 그 결과.

(+86,404,030원)

과금력은 플러스 8천만 원이 넘었다.

뿌득! 뿌드득!

근육이 뒤틀리는 소리는 반갑기 그지없는 종류의 것이다.

로그인 할 때나 느끼던 그 고양감.

드르륵-.

나는 원룸의 창문을 열고 원룸 밖으로 고개를 내밀었다.

"후우우우……."

들이쉰다. 들이쉬고, 계속 들이쉰다. 주변에 바람이 일 정도로 깊은 호흡.

그냥 숨을 들이쉬는 정도가 아니라 공기가 압축되는 지경에 이르자, 허파 안에서 뭔가가 끓어오르는 기분이 든다.

아니, 사실 기분이 아니다.

치이익!!

몸이 끓는다. 압축된 공기로 인해 온도가 올라간 것! 그리고 그대로 숨을 내쉬자-

푸화학! 빵!

돌풍이 분다. 과도하게 압력으로 굉음과 함께 대기가 터져 나가고.

쩌저적!!

부피가 팽창하자 뜨겁게 달아올랐던 주변 온도가 급격하게 떨어진다.

공격용으로도 방어용으로도 쓸 수 없는 잔재주이지만, 단순한 들숨 날숨으로 이런 현상이 벌어진다는 것 자체가 상식을 벗어난다.

초고위 생체력 수련자에게나 가능한 일.

"하, 하하. 하하하!"

나는 통쾌하게 웃었다.

"드디어!"

이 엿 같은 마이너스 과금력의 제한이 끝났다.

chapter2.

서바이벌 아일랜드

chapter2.
서바이벌 아일랜드

"세금 문제가 있으시네요."

"아니…… 뭐라고요?"

"세금 문제요. 설마 모르고 계셨던 건가요?"

서울시청에서 우주 용병 심사를 요청했던 나는 전투 능력에 대한 심사 대신 다른 심사를 받고 있었다.

"어디 보자, 밀리신 세금이 총 87억 4432만 321원…… 아니 이게 뭐야? 대기업 오너세요? 밀린 세금이 엄청 많네요……."

서울시청 공무원 특유의 청색 계열 유니폼을 입은 사내가 화면에 뜬 숫자를 보고 눈을 비볐다. 자신의 눈을 의심하는 모양.

나는 눈 대신 귀를 의심했다.

"87억이요……?"

미친 단위에 정신이 절로 아득해진다. 13억의 과금력을 갚으려고 한동안 아무것도 못 했다. 그러다 드디어 능력을 완전 복구하고 새로운 과금을 위해 우주 용병을 목표로 했는데 이제 와서 세금이라니?

'아, 아니 물론. 그래. 세금…… 있겠지.'

아르데니아에서는 세금을 걷는 입장이었기에 세금의 필요성은 당연히 인정하고 있다. 사회가 굴러 가기 위해서는 당연히 그 구성원들에게 세금을 거둬야 한다.

문제는 내가 지금까지 세금을 내 본 적이 없다는 것이다.

내가 내는 세금이 있다면, 물건을 살 때 자연스럽게 내는 부가가치세나 인세나 후원을 받을 때 발생하는 원천징수 정도, 직접 어디에 돈을 내는 형태가 아니다.

'아니 34지구에서 따로 내야 하는 세금이 있었나? 아니 있다는 말은 들었는데 그런 건 부자들이나…….'

거기까지 생각했다가 멈칫한다.

'아, 제길.'

그리고 깨닫는다.

'내가 부자구나.'

이미 내 소득은 일반인의 수준을 월등하게 뛰어넘었다. 연봉 수십억을 찍었는데 이걸 일반인이라고 하면 억지도 그런 억지가 없겠지.

'아.'

머리가 어질어질해진다.

'아니 아무리 그래도…… 통장에 100만 원도 없는데 87억?'

패닉에 빠진 나에게 시청 공무원이 설명했다.

"우주 용병은 활동 영역이 34지구에서 벗어난 대우주라는 것 아시죠? 다른 문명으로 튀어 버릴 수 있을 정도로 자유로운 신분이기 때문에 세금을 다 처리하지 않으면 심사를 받으실 수 없어요. 우주 용병 심사를 요청하시는 걸 보니 고위 능력자인 듯한데 세금 완납하시고 다시 요청해 주세요."

"……."

돈 벌려고 용병 일을 하려는 건데, 우주 용병을 하려면 87억을 내야 한단다.

이게 말인지 방구인지. 꿈인지 현실인지 구별이 안 된다.

"저기요?"

이제 그만 가라는 듯한 공무원의 표정을 바라보다 간신히 생각을 정리하고 물었다.

"좀, 이상하네요. 지금까지 세금에 대한 아무런 공지를 받지 못했습니다."

내 말에 공무원 녀석이 고개를 갸웃거린다.

"그럴 리가요. 그러고 보니 이 세금 작년부터 밀려 있었는데……. 작년에 아무 말 없었어요? 국세청이 그렇게 만만한 곳이 아닌데."

"확인해 주시겠어요?"

"아이 참. 잠시만 기다려 주세요."

두 손을 간이 접속기에 집어넣고 그대로 눈을 감는다. 그리고 그렇게 잠시간 시간이 지나고.

"엥?"

녀석의 눈이 떠진다.

"에에엥?"

"왜 그러시죠?"

"아니 이게 뭐지? 내야 할 세금보다 세액 공제가 더 높아요. 아니 비율이라는 게 있는데 이런 게 말이 되나? 이런 건 또 처음 보네. 한두 푼도 아니고 수십억 단위인데……."

녀석은 믿기지 않는다는 듯 계속 이런저런 내용을 확인했다. 그리고 그러면 그럴수록 녀석의 표정이 멍청하게 변했다.

그리고 말했다.

"이런 미친……."

* * *

우주 용병 심사 요청을 마치고 시청을 나선다. 나는 깊게 한숨을 내쉬었다.

"와, 식겁했다 진짜."

87억이라니 등줄기가 서늘하다. 이 강대한 육신에 식은땀이 다 쏟아졌을 지경이다. 팔뚝을 만져 보니 닭살이 다 돋아 있다.

87억이라니.

그 어떤 강적보다도 두려운 말이다.

"세액 공제를 받았으니 망정이지……."

세액 공제란 과세표준에서 세율을 적용해 계산된 산출세액에서 일정한 비율이나 금액을 공제하는 금액을 말한다. 그러니까 세금을 계산한 후 깎아 주는 것.

일반적으로 근로 소득 세액 공제, 자녀 세액 공제, 연금계좌 세액 공제 등이 있다. 기부, 의료, 보험 등의 특별세액 공제 또한 존재한다.

물론 번 돈을 죄다 기부하는 게 아닌 이상 87억의 공제 따위 있을 수 없는 일이지만.

"위대하고 위대하신 게임 마스터…… 만세!"

"그래, 만세!"

"위대하신 게임마스터 만세!"

무심코 중얼거린 말에 여기저기에서 호응해 준다.

"요즘 것들은 말이야! 감사하는 마음이 없어!"

"지금 얼마나 행복한 환경인지도 모르고!"

"34지구는 낙원이야, 낙원!"

"……."

별로 나이도 안 많아 보이는 사내들의 틀딱 발언에 얼굴이 화끈 달아올라 자리를 피한다.

뭐, 그렇다 해도 나로서는 칭송의 말이 안 나올 수가 없었다. 그 덕에 내가 살았기 때문이다.

게임 세액 공제.

다른 행성, 다른 문명에서는 있을 수 없는 특혜다. 문자 그대로 게임신이 지배하는 34지구였기에 존재할 수 있는 공제.

공무원 녀석이 황당해 하던 모습이 아직도 떠오른다.

'아니, 아무리 그래도 세금이 전부 차감된다는 게 말이 돼요? 차나 비행선 같은 거 안 샀어요?'

당연히 안 샀다. 여전히 난 뚜벅이다.

'집도 샀을 거 아니에요?'

정부에서 직접 운영하는 룸 타워에 거주 중이다.

'하다못해 밥도 먹고 옷도 사 입을 거 아니에요!?'

미안하지만 지구에서 밥을 사 먹은 지 1년도 넘었다. 옷을 산 지는 그보다 더 오래되었고.

'아니 진짜 번 돈을…… 수십억 단위의 돈을 다 게임에 부었다고요……?'

완벽한 정답이다.

소비가 오로지 게임에 집중되어 있으니 100%에 가까운 공제가 적용되었다. 낼 세금이 0은 아니지만 0이나 다름없는 상황이 될 수 있었다.

“아, 그러고 보니 이 양복 참 잘 입고 있네.”

나는 유리창에 비치는 내 모습을 확인했다. 훤칠한 키의 사내가 몸에 착 달라붙는 다크 그레이의 고급스런 양복을 걸치고 있다.

당연히 내가 산 것이 아니고 네메시스의 대표 배사랑이 선물로 줬던 걸 지금까지 입고 있다.

사실상 단벌 신사나 다름없는 상황이지만, 그나마 이 옷 덕에 공적인 자리에서 불편함을 안 겪을 수 있었다.

“아, 죄송하지만 이곳은 관계자 외…….”

“선수입니다.”

“아…… 아! 한재연 님이군요! 아니 이제 오시면 어떻게 합니까?”

“딱 맞춰 왔는데요.”

“아니 보통 미리 와서 몸도 풀고…… 하여튼 얼른 오세요!”

직원의 닦달을 들으며 건물 안으로 들어간다.

“다운! 다운입니다! 과연 패천격! 막을 자가 없습니다!”

“와아아아!”

“더 세게 때려!”

“지지 마! 팅커벨! 요정족의 긍지를 보여라!”

후끈한 열기가 느껴지는 곳은 송파구에 위치한 파이트 홀.

그렇다.

오늘은 내가 드디어 프로 선수로 데뷔하는 날이다.

"어서 옷 갈아입으세요."

"네."

"무기는 검, 혹은 주먹 맞으시죠?"

"네."

"전투 중 부상은 우리 협회에서 책임져 드리지만, 불의의 사고로 사망하시는 예도 있습니다. 참고로 고의로 상대 선수를 살해했다고 인정될 경우 아주 강력한 민, 형사상 책임이 발생하게 됩니다."

"네."

적당히 대답해 준다. 내가 죽을 리는 없다. 상대방이 죽는 상황이 조금 걱정이지만…… 34지구에서 전투계 이능으로 프로 선수가 되었다는 건 보통 일이 아니다.

최하가 완성자.

즉, 소드 마스터가 기본이다.

내 육신이 아무리 강해졌다 해도 완성자쯤 되면 그리 쉽게 죽는 이들이 아니다.

'아, 드디어 아마추어 대회에서 벗어나는구나.'

취미 생활로 전투계 이능을 수련하는 김 대리, 양 사원 등을 상대하다 프로 경기를 뛰게 되자 감개가 무량하다.

"청 코너! 특이한 이력의 소유자죠? 영화 교수 지망생의 출연으로 유명해진 황제! 한재연 선수입니다."

내가 온갖 주문과 결계로 떡칠된 링에 올라가자 야유가 쏟아진다.

"우우우~! 배우는 연기나 하지 무슨 프로 데뷔냐!"

"오늘 상대 잘못 만났다!"

"쥐어 터질 준비나 해라!"

"예쁘게 만든 몸하고 실전 몸하고는 차원이 다르다는 걸 알아야지!"

아무래도 내가 별로 마음에 안 드는 모양.

그리고 그 순간.

탁.

경기장의 모든 광원이 사라지며 암전되었다.

"홍 코너~! 브론즈 랭크의 슈퍼스타! 데뷔 선수들이 마주하는 절망의 벽! 모~ 두가 사랑하는 우리의 마돈나! 충격 가슴! 올리야~! 그랜트!"

소개와 함께 한 줄기 빛이 링을 비춘다.

어느새 거기에는 훤칠한 키에 비키니를 입고 있는 육감적인 몸매의 미녀가 서 있었다.

"와아아아아!"

"올리야! 올리야! 올리야!"

"충격 가슴!"

"오늘 너 보러 왔다!!"

"아, 올리야 경기 너무 후반에 두지 마라 기다리기 힘들어!!"

환호하는 사람들을 보며 나는 어이를 상실할 수밖에 없었다.

'아니 뭔 별명이 충격 가슴이야? 충격적일 정도로 큰 것 같지는 않은데.'

그러나 그런 내 기분 따윈 상관없다는 듯 여인은 여유있게 손을 흔들며 팬들의 환호에 응답했다.

'잠깐.'

나는 위화감을 느꼈다.

늘 말했다시피 34지구 문화의 주류는 게임이다. 영화도, 드라마도, 격투기도 노래도 과거만 한 영광을 누리지는 못했다.

격투기는 그중에서도 철저한 비주류.

물론 상위 랭크로 가면 이야기가 달라지겠지만 골드도 플래티넘도 아니고 브론즈 랭크에서 이만한 팬들을 가진 스타가 있다는 건 뭔가 이상한 일이다.

'설마 고의로 랭크를 떨군 녀석인가?'

만약 그렇다면 절대 무시할 만한 상대가 아니었다.

"모두가 기다렸던 시간입니다! 자, 그럼! 경기를~ 시작하겠습니다!"

사회자의 경쾌한 외침과 함께 올리야가 앞으로 나선다.

"어머. 검은 그냥 메고만 있는 거야?"

"일단 주먹으로 해보지."

"후후후. 여자를 주먹으로 패겠다니 최악인걸."

"칼로 자르는 것보다는 매너 있지."

그렇게 말하며 앞으로 나선다. 반짝이는 금발이 인상적인 백인이자, 비키니를 입고 있고 있는 육감적인 몸매의 미녀.

반면 그녀와 마주하고 있는 난 190이 넘는 신장에 전신이 근육으로 가득 찬 거구의 사내다. 이 둘이 싸우자고 마주 섰으니 다른 문명이었다면 나를 향해 온 세상의 질타가 쏟아졌겠지.

'하지만 여기는 34지구다.'

고위 능력자의 세계에서 겉모습은 전혀 중요한 요소가 아니다. 허리 굽은 노파 한 명이 장정 수천 명을 찢어 죽여도 이상할 게 없는 세상.

"가볍게 시작해 볼까."

우웅!

순간 올리야의 온몸이 푸르게 빛났다.

'경천칠색(傾天七色)……!'

세계 최대의 재벌 배재석 회장이 익힌 것으로 유명한 식(式)이다. 세상 만물을 진동으로 치환하고 경지 이르면 일격에 지진, 폭풍 등의 천재지변을 일으키는, 생체력 주제에 마법에 가까운 활용성을 가진 기예!

빼엉!

순간 무지막지한 충격파가 몸을 후려친다. 나는 아찔한

감각을 느끼며 주르륵 밀려났다.

"버텼어? 대단한데?"

놀라는 올리야를 보며 온몸의 근육을 쥐어짠다.

'일단은 내공 없이.'

쾅!

돌진한다. 좀 손해를 보더라도 육신의 힘만으로 해보기로 한 것이다.

"하! 경천칠색 수련자에게 육탄 돌격을 해!?"

하이톤의 외침과 함께 올리야 역시 달려든다. 그리고 서로의 거리가 0이 되는 순간.

우득.

진각을 밟는다. 800포인트가 넘는, 개세(蓋世)적인 근력을 모조리 쏟아 주먹을 내뻗었다.

올리야는 오른팔로 그것을 막았다.

그리고.

쿠우…….

충격파가 원형으로 뿜어진다. 낮은 울림이 온 경기장을 휩쓸었다.

"어…… 어?"

자신만만하던 올리야의 얼굴이 사색이 되었다.

"아, 아니 잠깐. 어, 어어……? 아니 일격에?"

그녀의 전신에서 적색이 뿜어진다. 공격 기술이 아니다. 경천칠색의 적색. 외부의 충격을 진동으로 변환시켜

저장시키는 힘.

그러나 저장할 수 없다.

800스텟이 어떤 근력인가?

힘을 제대로 전달할 수만 있다면 빌딩을 잡아 뽑을 힘이다.

산을 잡아 뽑을 900스텟 정도는 아니어도 가히 초월적이라 불러도 모자람이 없는 근력이라는 건 누구나 인정할 수밖에 없으리라.

번쩍!

"꺄아아아아악!"

비명과 함께 그녀의 가슴이 새빨갛게 빛나고!

빠앙!

그녀의 가슴 가리개가 그대로 터져 나갔다.

"나왔다! 충격 가슴!"

"와아아아!"

"신입 대단한데……! 어떻게 일격에!"

자신들이 응원하던 선수가 쓰러졌음에도 환호하는 사람들!

야유가 쏟아지리라 생각했던 난 짜게 식은 표정을 지을 수밖에 없었다.

"충격 가슴의 충격이 물리적인 충격이었냐……."

경천칠색은 진동을 다루는 생체력이며 생체 진화 과정에서 충격을 저장하는 신체 기관이 생성된다.

보통은 복부쯤에 만들게 되는데…… 아무래도 이 여자는 그걸 가슴에 만든 모양.

그리고 견딜 수 없는 타격이 들어오면?

버티지 못한 충격이 가슴으로 방출되게 된다.

털썩.

내가 어이없어하는 사이 올리아가 쓰러진다. 사회자가 우렁찬 목소리로 소리친다.

"5! 4! 3! 2! 1! 경기 종료! 그야말로 대 이변! 대단합니다! 오늘 데뷔하는 황제! 한재연 선수가 올리아를 일격에 쓰러트렸습니다! 실로 엄청난 위력의 펀치!"

"……."

나는 신나서 떠들어 대는 사회자를 멍하니 바라보았다. 그 너머로 정신을 잃고 쓰러진 올리아의 모습이 보인다.

비록 잘못된 판단의 결과이긴 하지만……. 나는 틀림없이 '진심'으로 그녀를 쳤다. 적어도 육체적인 면에서 나는 내 모든 힘을 이 일격에 담았다.

일격에 쓰러졌지만 상처 하나 없는 몸. 치명상을 입었다기보다 생체 기관의 과부하로 쓰러졌다고 봐야 한다.

결코 약한 상대가 아니다.

'스킬이나 클래스 등의 보정이 없다면 헤이즈와도 비등한 경지일 거야.'

헤이즈가 누구인가? 그녀는 성검 스텔라의 주인이며

기사대전의 챔피언이다.

크롬 왕국 최강의 기사, 결투기사(決鬪騎士).

이제는 소드마스터로 온 대륙의 우러름을 받는 존재.

그리고 그녀와 맞먹는 경지의 여인이 지금 엉망으로 바닥을 뒹굴고 있다.

"크! 내가 이 맛에 경기 직관한다!"

"아니 그래도 너무 금방 쓰러졌잖아~. 충격 가슴 더 보고 싶었는데 이게 뭐냐."

"터지는 것만 맛이 아니고 그 과정에도 맛이 있는 거구먼, 쯔쯔! 이게 뭔 치킨 한 마리 먹을 틈도 없네."

"텄네, 텄어! 가자, 가."

우르르 자리에서 일어나는 관객들이 보인다. 아직도 가슴을 드러낸 채 바닥에 쓰러져 있는 올리아의 모습 또한.

"이게…… 프로 경기?"

기가 차서 웃음도 안 나온다.

어렸을 적 꽤 오랫동안 프로 파이터를 꿈꾼 적이 있었다. 내게는 타고난 투쟁심이 있었고, 현대 사회에서 그것을 해소할 수 있는 직업은 몇 안 되었기 때문.

그러나 그 꿈꾸던 자리에서 느낀 감정은 실망감이다.

"이게 프로 파이터라니……."

너무나 한심한 상황.

그러나 그렇기에 난 예상하지 못했다.

"안녕하세요! 한재연 씨, 우리 조금 전에 봤죠?"

내 앞에 엉망으로 쓰러졌던 올리야가.

"제 훈련 좀 도와주시겠어요?"

사적으로 내게 접촉할 것이라고는 말이다.

"페이는 섭섭지 않게 드릴게요!"

전혀 달라진 태도, 복장, 표정으로.

올리야가 환하게 웃었다.

'이게 뭔 상황이지.'

솔직히 어안이 벙벙했지만 나는 그녀를 따라 카페에 들어섰다.

무슨 데이트 신청 같은 거라면 엉덩이를 차 주겠지만 페이를 제대로 쳐 준다니 이야기 정도는 들어 볼 만하다.

"슈퍼 쿨 더블 셀 주세요. 재연 씨는요?"

"에스프레소."

"에스프레소? 에스프레소가 뭐예요?"

의아해하는 올리야의 말에 카페 직원이 웃었다.

"전통 방식의 커피예요. 고풍스러운 취향이시네요. 향은요?"

"초콜릿으로."

그렇게 주문하고 자리에 앉은 난, 내 앞에 마주 앉은 올리야를 바라보았다.

'못 알아볼 정도군.'

그녀는 무대에서와 완전히 다른 모습을 하고 있었다.

사자처럼 풀어헤치고 있던 금발은 곱게 땋아 내렸고 가린 곳이 거의 없던 복장은 오히려 약간 더워 보일 정도로 단정하다.

거기에 콧잔등에 얹혀 있는 안경까지.

격투기 선수가 아니라 오히려 학업에 열중하는 대학생 정도로 보이는 모습이다.

팟!

테이블이 잠시 깜박이는가 싶더니, 주문했던 메뉴가 모습을 드러낸다. 내 앞에는 에스프레소가, 그녀의 앞에는 족히 2.5리터는 될 법한 커다란 음료가 등장한다.

올리아가 경악한다.

"아니 그거 제대로 나온 건가요? 잔 크기가 무슨……."

"원래 이런 겁니다."

잔을 들어 슬쩍 향을 맡는다. 오랜만에 맡는 은은한 초콜릿 향에 정신이 깨어나는 게 느껴진다.

'그러고 보니 아르데니아에서 커피 농사는 가능하려나? 남부 지대쯤이면 될 것도 같은데…….'

그렇게 생각하며 입을 연다.

"그나저나 훈련이라는 건 무슨 말입니까?"

굳이 대전 상대였던 날 부르다니 수상쩍은 일이다. 무엇보다 프로 파이터가 훈련 상대가 없을 리 없지 않은가?

그러나 올리아는 당연하다는 표정이다.

"당연히 타격 훈련이죠. 솔직히 엄청난 위력이었어요. 제 방어 특화가 영파(靈波)라 경천칠색 치고는 물리 방어가 약한 편이긴 하지만 아무리 그래도 일격에 가슴이 터질 줄은 몰랐거든요."

'가슴이 터지다니.'

적나라한 표현에 순간 할 말을 잃었지만 이내 진정하고 묻는다.

"영파 특화는 뭡니까?"

"말 그대로 영파를 진동으로 바꾸는 데 특화시켰다는 말이죠. 프로 경기에는 검기 사용자나 배틀 메이지가 너무 많거든요. 그것들에 대항하지 못하면 프로 자격을 유지하기 어렵죠."

"하지만 그러면 정작 물리력에 반응하기 어렵게 될 텐데요."

"상관없죠. 프로 파이터 중에 생체력 수련자는 몇 되지 않으니까."

3클래스만 찍어도 평생 일자리 걱정이 없는 마법이나 성장에 별다른 자본이 필요하지 않은 무공, 차크라 등과 달리.

생체력은 자본이 필요한 영능이다.

생체력을 익히게 되면 식비가 최소 10배에서 최대 100배까지 증가하며 심지어 이마저도 기본일 뿐. 성장을 원한다면 그 이상으로 많은 것들을 먹어야 한다.

'그뿐이 아니지.'

생체력은 호구지책에 아무런 도움이 안 된다.

생체력을 익혀 도움이 되는 일자리는 막노동 정도. 무공 사용자는 그나마 기가스 파일럿이라도 할 수 있는데 생체력 수련자는 그마저도 할 수 없었다.

즉, 생체력 수련자들이란.

'있는 집 자식들이지.'

생체력은 생체인자를 받아들여 스스로의 육신을 진화(進化)하는 영능이며, 그 방향성은 수련자의 소망을 기반으로 한다.

키가 커지면 좋겠다.

몸매가 좋아졌으면 좋겠다.

예뻐지면 좋겠다.

당연하지만 이딴 생체 진화는 총체적인 역량 감소로 이어지기에 영능으로 먹고 살려면 택해선 안 될 선택지다.

그러나 그럼에도 그것을 선택했다면, 그것은 그, 혹은 그녀가 그만큼 삶에 여유가 있기 때문일 것이다.

물론 아름다워진 외모로 연예인을 하는 것도 가능하긴 하겠으나.

'연예인계가 얼마나 무시무시한 레드오션인데 외모 하나로 들어와.'

멀리 갈 것도 없이 신인 배우나 다름없었던 혜영이 주인공을 꿰찰 수 있던 것도 그녀가 어둠 속성의 차크라를 현문까지 연 차크라 마스터이기 때문이 아니었던가?

고작 아름답거나 잘생긴 외모 하나만으로 차크라 마스터와 비빌 수 있을 리 없다.

외모로 유명한 절세미남 성재조차 7클래스 주문을 사역한 소서러가 아니던가?

'뭐, 중요한 건 이게 아니지.'

나는 잡념을 떨치고 물었다.

"그래서 정확한 조건은 어떻게 됩니까? 훈련 조건과 페이가?"

그 말에 올리야가 뒤를 돌자, 그녀를 따라 날아다니던 거북이가 휙 하고 몸을 회전시킨다.

지이잉! 징!

바람과 함께, 허공에 마나가 잠시 휘돌더니 계약서 한 장을 토해 낸다.

올리야가 계약서의 이곳저곳을 짚어 주며 말했다.

"조건은 어렵지 않아요. 훈련장에서 저를 쳐 주시면 됩니다. 물론 시작이 그렇다는 거지 점점 대련 형식으로 진행할 거고요. 시간은 1회 훈련에 2시간입니다."

"페이는?"

"1회에 350만 원으로 하죠."

"장소는?"

"체부동 그랜드 타워에서 하면 좋을 것 같아요. 제가 거기 살기도 하고 지하에 훈련장도 잘되어 있어서."

"……."

잠시 고민한다.

'좋은데?'

뭔가 더 협의를 하기가 애매할 정도로 좋은 조건이다. 시간당 200만 원에 가까운 페이에 장소도 룸 타워에서 아주 가깝다. 설렁설렁 걸어가도 10분이면 닿을 정도.

게다가 계약서를 보니 3일 전에만 통보하면 언제든 그만둘 수 있다.

"횟수가 정해져 있지 않군요. 일주일에 몇 번 하면 됩니까?"

"당연히 매일 하면 좋지요."

"매일?"

깜짝 놀란다. 하루에 350만 원인데 매일이라니? 농담이 아니라 한 달이면 1억이 넘는데 그걸 훈련에 쓰겠다, 이 말인가?

'월드 클래스의 파이터라면 이해하겠지만 겨우 브론즈 랭크가?'

의아해 하는 내 심정을 눈치챈 듯 올리야가 웃었다.

"제가 브론즈긴 해도 엔간한 골드 랭크 파이터보다 더 인기 있거든요. 파이트머니도 높은 편이고 광고도 찍으니까 너무 걱정하실 필요 없어요."

"아, 그래서 그 이상한 사람들이……."

나는 고작 브론즈 랭크의 시합에 구름처럼 몰려 와 있

던 관객들을 떠올렸다. 그녀가 패배했음에도 열광하던, 팬이라고 하기에는 너무나 기묘한 무리들.

나도 모르게 쓰게 웃는다.

동시에 내 모습에 올리야의 표정이 굳었다.

"이봐요 한재연 씨?"

"아, 죄송합니다. 저는."

"이상한 사람들이라니 팬분들한테 너무 함부로 말씀하시는 거 아니에요?"

"네?"

전혀 예상하지 못한 반응에 당황한다. 당연히 자신을 무시했다고 화낼 줄 알았는데 전혀 다른 반응이다.

"겨우 저 한 명 때문에 요새 침체기인 프로 파이터 경기에 직관을 오시는 고마운 분들이라고요. 다른 사람이면 또 몰라 프로로 데뷔하셨으면서 팬분들을 그렇게 보셔서 되겠어요?"

"아, 어? 아니 물론, 그렇긴 한데."

"결투에 대단한 의미를 부여해 신성화시키지 마세요. 팬분들이 없으면 우리는 쌈박질이나 하는 양아치일 뿐이라고요."

"아, 아. 네."

"재연 씨는 배우 활동도 하시니까 특히나 더 조심하셔야 해요. 사람들은 바보가 아니에요. 그런 생각을 하게 되면 다 눈치챈다고요. 알았어요?"

"네……."

혼났다.

뭔가 납득하기 힘들었지만, 한 마디도 반박을 할 수가 없었다. 사실 다 맞는 소리였다.

"뭐! 그러면 훈련은 내일부터! 잘 부탁드립니다!"

인사를 끝으로 올리야가 카페를 나선다. 나는 카페를 나서는 그녀의 뒷모습을 보았다.

곱게 땋아 내린 머리칼, 단아한 스타일링. 그러나 그런 옷차림으로도 완전히 가릴 수 없는 생체력 수련자 특유의 터질 듯한 육체.

"팬이라……."

지금껏 생각하지 않았던 문제에 대해 고민하며 나 역시 카페를 나선다.

"택시를 타기는 아깝고…… 걸어가자."

대로를 따라 이동한다. 아직 오늘 일정이 끝나지 않았기 때문.

저번처럼 성재에게 초대받은 날은 아니지만…… 길드 홈페이지를 확인한 난 오늘 정기 모임 하나가 잡혀 있다는 걸 알게 되었다.

"예약하셨습니까?"

"네, 킬리언스로 되어 있을 텐데요."

"네…… 확인했습니다. 킬리언스님. 즐거운 시간 되십시오."

클럽에 들어선다. 그 안에서는 수많은 사람이 춤을 추는 모습이 보인다.

'확실히 많긴 많군.'

리벤지 길드의 인원 제한은 100명이며 그 제한은 길드가 2레벨이 되면 150명으로, 6레벨이 되면 200명으로, 11레벨이 되면 250명, 16레벨이 되면 300명으로 증가한다.

길드 레벨 18레벨인 아레스 길드는 300명의 길드원을 받을 수 있고, 그 정도면 작은 규모의 클럽 정도는 전세낼 수 있다.

"엇! 황제님 맞죠? 영화 재미있게 봤어요!"

"안녕하세요! 영화만 찍고 왜 방송에 안 나오세요?"

훤칠한 선남선녀들이 살갑게 와 말을 건다.

"안녕하세요. 한재연이라고 합니다."

"제가 다른 일도 하느라고. 조만간 하나 나갈 참입니다."

적당히 응대하며 시간을 보낸다. 여기저기 세팅된 안줏거리와 술도 조금 먹었다.

'과연, 이런 분위기인가.'

전체적으로 외모 수준이 아주 높다. 아레스 길드의 성향을 생각해 보면 당연한 일이다.

아레스 길드는 어떤 사람들이 모여 만든 길드인가?

'연예인.'

리벤지는 돈 많고 시간 없는 사람들이 하는 게임이고 그 조건에는 꼭 대기업 대표나 전문직만 속하는 게 아니다. 스케줄을 분 단위로 쪼개 쓰는 연예인들도 리벤지를 많이 했다.

"요즘 신규 유저가 엄청나게 늘었어요."

"리벤지 서비스 종료가 완전히 무산된 다음에는 더 그래요. 하기야 1급 심도의 완전 가상 현실이니 당연하려나."

"무슨 그런 게임을 하느냐고 한심해하던 저희 조카가 리벤지 사냥 도와 달라고 하더라고요. 격세지감이 느껴지네요. 진짜."

나는 술잔을 들고 클럽을 돌아다니며 귀를 기울였다. 위기에서 벗어난 리벤지가 제법 잘나가고 있는 모양이다.

하기야 요새 게임을 돌리다 보면 예전과 비교도 할 수 없이 사람이 늘어났다는 게 느껴진다.

굳이 사냥을 안 하고 도시에서만 활동하는 플레이어도 엄청나게 많다.

"서큐랜드는 가 보셨어요? 장난 아니에요."

"뭐, 저는 현실에서도 서큐버스 못지 않은 친구들이 많아서."

"호호호. 하기야 그렇겠다."

연예인, 연습생, 혹은 기획사 관계자들이 자유롭게 모였다 흩어지며 이야기를 나눈다.

"같이 춤추실래요?"

"와, 몸 완전 좋으세요!"

"고위 능력자라는 말이 있던데…… 진짜 8클래스 마법사를 잡으셨어요?"

종종 말을 거는 사람이 있긴 했지만 나는 적당히 응대하며 클럽을 이리저리 떠돌기만 했다.

'역시 바로 접촉하지는 않는구나.'

정모에 오자마자 바로 길드의 임원들이 나를 불러서 신화 레이드에 대해 논의하는 일은 당연히 없었다.

나도 뭐 얼굴만 비추러 온 것이다. 오늘은 내가 길드 활동에 관심이 있다고 알리는 정도면 족하다.

"아! 그 소식 들었어요!? 요번에 파이브 드래곤이 지구에 온대요!"

"진짜? 와, 우주급 스타의 등장인가."

"PD들 어떻게든 섭외하려고 박 터지겠네."

"으. 초월자가 연예인을 하면 우리 같은 사람들은 어찌하란 말이야."

웅성거리는 사람들의 말에 고개를 끄덕인다.

'FD가 파이브 드래곤이었구나.'

모인 사람들의 면면이 면면이었던 만큼 겨우 클럽을 배회하는 것만으로 꽤 많은 이야기를 들을 수 있었다.

"51지구가 요번 몬스터 사태로 400만 명이나 희생되었데요."

“뭐, 왜 이렇게 많이 죽었데요? 51지구는 그래도 3문명에 들어선 곳 아니에요?”

“거기가 3문명이긴 한데 좀 디스토피아 느낌이잖아요. 빈민층은 사람 취급도 못 받고 군인들도 지키지 않아서 피해가 어마어마했다네요.”

“아이고…… 그래서요?”

“저한테 모금 활동 모델 제안이 왔는데…….”

한참을 돌아다니며 이런저런 이야기를 들었다. 그 사이에 식사를 다 마친 것은 너무도 당연한 이야기.

거의 2시간이나 클럽을 돌아다녔음에도 접촉은 없었다.

“아, 방송할 시간이네.”

나는 미련 없이 클럽을 나왔다. 어차피 성재도 없는 정모 자리였기에 자리를 지켜봐야 영양가도 없었을뿐더러.

나도 바쁜 몸이다.

“내일 죽어도 벌꿀 맥주를 포기할 수는 없다네~ 시케이는 도끼를 들고 노래를 불렀다. 모두들 미친놈 보듯 그를 올려다보고 있었다.”

집에 와 필사를 시작한다.

[유쾌한 시케이 씨와 벌꿀 맥주]는 다른 소설들과 마찬가지로 현대인의 감성과 맞지 않았다. 하지만 또 어떻게 보면 지금껏 읽었던 작품들 중 가장 현대인들에게 맞는 작품이기도 했다.

약간 정줄 놓고 보는 개그물 느낌이었기 때문.

"로그인."

그렇게 필사를 이어 나가는 동안 열심히 달린 랜드웜이 어느새 목적지에 도착한다.

* * *

[한재연 님이 옥좌에 각인을 시도 중입니다!]

[축하합니다! 한 길드가 세계수의 정원을 점령했습니다!]

[새로운 성주. 한재연.]

어렵지 않게 세계수를 처치하고 우하화점을 차지한 나는 옥좌에 앉아 정신의 확장되는 후폭풍을 수습했다.

내 정신과 육신을 통로로 삼아 휘몰아치는 차크라의 흐름이 느껴진다.

"후우……."

내면세계의 한쪽을 가득히 채운 바둑판, 그곳에서도 도드라져 보이는 9개의 맥(脈).

딱!

그중 세계수가 차지하고 있던 우하화점에 백돌이 놓이자 수련한 적도 없던 요소가 마치 봉인에서 풀려나듯 저절로 깨어나 선명한 존재감을 흩뿌리기 시작했다.

자연을 사랑하고 식물 가꾸는 것을 업으로 삼는 이들이

주로 각성하는 속성계 요소.

나무(木).

나는 어느새 내 경지가 4층에 도달했다는 사실을 깨달았다.

"와, 이렇게 날먹 해도 되는 건가."

나도 모르게 그렇게 중얼거린다.

차크라의 경지가 오른다고 요소의 깨달음이 깊어지는 건 아니지만, 적어도 출력 면에서 과거와 비교가 불가능한 수준.

심지어 변화는 그것으로 끝이 아니었다.

"……흠. 잠깐."

누가 가르쳐 주지 않았음에도 나는 내 차크라 경지가 경계를 넘어섰음을 깨달았다.

"로그아웃."

당장 지구로 돌아간다. 양복을 갖춰 입고 집을 나섰다.

[방문 목적을 말씀해 주십시오.]

"올리야 씨의 소개로 왔습니다."

[한재연 님, 확인되었습니다.]

그랜드 타워에 들어선다. 굳이 올리야를 찾아가는 대신 바로 지하의 훈련장으로 들어섰다.

그리고 훈련장 하나를 빌려 [개인 정보 보호] 요청을 했다.

"후."

널찍한 훈련장 한가운데 앉아 차크라를 끌어올린다.

“아르데니아. 현문(賢門). 개방(開放).”

정신을 집중하고, 문을 연다. 그리고 내면에 펼쳐지는 거대한 세상을 느끼며.

“소환(召喚).”

그 안에 존재하는 요소를 불러낸다.

“카심.”

팟!

인간을 초월한 인지 능력을 지닌 나조차 제대로 인지 못 할 정도로 짧은 순간, 백색의 드레이크가 내 앞에 서 있었다.

공간을 넘어오는 그런 느낌이 아니다. 어떤 물리적인 현상이 아니라 CG로 조작한 영상처럼 그냥 어느 순간 훈련장 한가운데 서 있는 상황이다.

“와.”

나는 카심의 새하얀 비늘을 가볍게 쓸어 보았다. 요새는 랜드웜에 밀려 소환도 잘 안 하는 상황이지만 그럼에도 현실에서 보는 카심의 모습은 감동적이기까지 하다.

“이거 소환사라고 우겨도 되겠는데?”

물론, 이건 흔히 말하는 그런 종류의 소환은 아니다.

당연한 일이다. 차크라가 아무리 기기묘묘한 힘이라 해도……. 고작 4층의 경지로 이만한 수준의 소환수를 소환하는 건 있을 수 없는 일.

"로그인."

아르데니아로 들어간다.

"카심."

세계수의 옥좌에 앉아 소환을 시도한다.

그러나 나타나는 것은 없었다.

"역시……. 이렇게 되나. 로그아웃."

지구로 돌아가 다시 카심을 마주한다.

맘 같아서는 등에 올라타 하늘을 날아다녀 보고 싶지만 신고도 안 하고 비행을 했다간 기가스를 탄 전투 경찰이 날아와 딱지를 뗄 것이다.

"크르릉!"

카심이 훈련장을 둘러보며 으르렁거린다. 아무래도 비좁은 공간에 갇혔다고 생각하는 모양. 나는 녀석의 머리를 토닥여 진정시킨 후 수를 셌다.

그리고 그렇게 1분 뒤.

"아, 역시."

부담이 온다. 정확히 말하자면 정신력이 소모되며 머리가 아프기 시작했다.

차크라의 경지가 4층에 이르러 전설 클래스를 소환할 수 있게 되었지만, 말 그대로 할 수 있게 되었을 뿐.

전설 클래스의 존재를 장시간 소환하는 건 아직 내게 부담스러운 일이다.

"하지만…… 이것만 해도 엄청난 의미긴 해."

그렇다. 엄청난 의미다.

"전설 송편을 꺼낼 수 있으니까."

소환으로 꺼낸 송편을 먹을 수 있다는 건 이미 몇 번이나 검증되었다.

송편은 먹는 데에 시간이 걸려 급박한 상황에 쓰기 어려운 아이템이지만, 지구에서 바쁘면 아르데니아에서, 아르데니아에서 바쁘면 지구에서 먹으면 되니 상관없다.

응용은 그뿐이 아니다.

"로그인."

아르데니아로 넘어간다. 그 순간 깨닫는다.

"역시."

두통이 사라졌다. 마치 체력이 딸릴 때마다 지구와 아르데니아를 오가며 회복시키듯 정신력 역시 그럴 수 있다는 이야기다.

"좋아. 이 정도면 당장 우주 용병 뛰어도 문제없겠다."

심지어 이것조차 시작에 불과하다. 내가 차지한 화점은 아직도 3개밖에 안 되지 않은가? 내가 차지한 화점의 숫자가 점점 늘어 차크라의 경지가 7층, 8층에 이른다면?

그렇게 된다면.

"신화급도 소환할 수 있겠지."

전설도 쓸 만하지만 신화급은 완전히 다른 이야기다. 물론 34지구는 초월자도 법을 어기면 경찰이 잡아가는 마경이지만, 그게 초월자가 가벼운 존재라는 뜻은 결코 아니었으니까.

실제로, 서울 한복판에 랜드웜이 나타난다면 제아무리 대단한 서울이라도 어마어마한 피해가 발생할 수밖에 없으리라.

온갖 설비와 수천 개의 마법이 깔려 있다 하더라도 빌딩만 한 괴물이 땅을 헤집는데 어찌 버틸 수 있겠는가?

심지어 랜드웜의 비늘은 검기 같은 걸로 때려 봐야 스크래치 하나 안 나는 미친 내구력을 가지고 있다.

'물론 그게 랜드웜이 초월자라는 의미는 아니지만 말이야.'

랜드웜의 스펙은 틀림없이 초월급이지만, 녀석에게는 초월자를 표현할 때 흔히 따라붙는 [격]이 느껴지지 않는다.

물론 그렇다고 초월급이 아니라고 단언하는 것도 웃긴 일이다. 막말로 내가 랜드웜의 바닥을 본 적이 있는 것도 아니니까.

'솔직히 모르겠다. 내가 알고 지내는 초월자가 있는 것도 아니니…….'

"랜드웜."

옥좌에서 내려와 랜드웜을 소환한다. 이제는 자동으로 열리는 이마의 공간으로 들어가자 랜드웜이 묻지도 않고 땅을 파고 들어간다.

콰콰콰콰!

나는 눈앞에서 좌우로 갈라지는 암석층을 잠시 구경하다 말했다.

"로그아웃."

지구로 돌아간다. 여전히 내 앞에는 소환된 카심이 서 있다.

팟!

차크라를 닫자 카심이 사라진다. 그 후 개인 정보 보호 요청을 해지하고 훈련장을 나섰다.

"아! 나오셨네요! 안 그래도 막 전화하려던 참인데."

"안녕하세요. 올리야."

"네, 안녕하세요! 바로 훈련할까요?"

훈련장이기 때문인지 올리야는 가벼운 옷차림을 하고 있었다. 물론 링 위에서처럼 비키니를 입고 있다는 건 아니고 몸에 착 달라붙는 트레이닝복이다.

"레오나르도! 훈련장 잡아 줘 개인 정보 보호 걸고!"

"꾸우~"

하늘을 날아다니는 거북이가 고개를 끄덕이자 내가 나왔던 훈련장이 잠시 빛나는가 싶더니 다시 대기 상태로 변한다.

바로 문을 열고 들어갔다.

"아! 그런데 그런 복장으로 괜찮나요?"

"상관없을 듯하지만…… 갈아입고 오지요."

나는 훈련장에 붙어 있는 대기실로 들어가 트레이닝복

으로 갈아입었다. 외출복이라곤 이것 하나뿐인데 혹시라도 훈련 중 손상이 생기면 큰일이다.

"자! 쳐 보세요! 전력으로!"

내 정면에 선 올리야가 두 팔을 X 자로 겹치고 소리쳤다.

쿵.

진각을 밟으며, 하중에 내공을 실었다. 순수한 근력으로만 치면 먼지처럼 가벼운 체중 때문에 충격이 제대로 전달되지 않기 때문에 최소한의 운기는 필수적.

나는 정면으로 정직하게 달려, 방어를 굳힌 올리야의 팔을 때렸다.

쿠우…….

충격파가 묵직하게 주변을 훑고 지나간다.

"으, 으으…… 으으으……!"

올리야의 모습이 시뻘겋게 물든다. 피가 몰려 얼굴이 붉어지는 그런 게 아니라, 그녀의 온몸으로 적광이 뿜어진다.

그러나 마침내.

번쩍!

"으…… 악!"

온몸을 휘돌던 빛이 그녀의 가슴으로 몰려들고!

빠앙!

그녀의 가슴을 가리고 있던 트레이닝복이 그대로 터져나갔다.

"……."

나는 어이가 없어서 고개조차 돌리지 못하고 멍하니 있었다.

'아니 항상 이렇게 가슴 부분이 터지는 건가?'

"으으…… 아, 그래도 이번엔 꽤 버텼는데."

넘어졌던 올리야가 신음을 토하며 자리에서 일어난다. 그러자 그 옆으로 거북이가 날아든다.

팟!

허공에 잠시 빛이 번쩍이더니 버거가 우르르 쏟아진다. 슬쩍 보니 나도 아는 종류다.

번이 빵이 아닌 치킨으로 되어 있고 그 가운데에는 소스로 범벅이 된 베이컨과 해시브라운이 겹겹이 쌓여 있는, 보기만 해도 칼로리가 뚝뚝 묻어나는 종류의 버거!

"잠시만 기다려요."

"아, 네. 저기 그런데 옷을 갈아입어야 하지 않습니까?"

"아 가슴이요? 어차피 또 터질 텐데 뭐 어때요."

그렇게 말하고는 앉은 자리에서 버거 30개를 순식간에 먹어치운다. 콜라도 3리터나 마셨다.

"웃차…… 합!"

쿠앙--!

한순간 올리야의 오른 주먹이 주황빛으로 빛나더니 천둥소리가 터진다. 그녀가 자신의 몸에 모았던 진동을 허공에 방출한 것이다.

"자, 그럼 다시!"

"……뭐, 그러죠."

말이 끝나기 무섭게 방어를 굳힌 올리야의 팔을 때렸다.

"으, 으, 으, 으으으……."

올리야의 온몸이 시뻘겋게 빛난다. 아까와 달리 이번에는 10초나 적광을 번쩍이며 진동을 조율한다.

빠앙!

물론 최종적으로는 가슴에서 충격이 뿜어져 나온다.

"하악……! 헉헉. 와. 미친! 미친! 진짜 위력 장난 아니네요. 이게 대체 무슨 기술이에요?"

"랜드 브레이커입니다."

"랜드 브레이커? 들어 본 거 같긴 한데…… 엥? 그거 거인족 무공 아니에요? 내공 사용자였어요?"

"차크라도."

내 말에 올리야가 혀를 내두른다.

"아니, 생체력 수련자도 아닌데 이런 괴력이라니. 혈통을 타고 난 거예요? 아니면 요소?"

"글쎄요."

"하기야 뭐 그건 상관없죠."

올리야는 다시 햄버거를 소환해 식사를 시작했다.

치이이익---!

햄버거를 씹어 삼키고 콜라를 벌컥벌컥 마시는 그녀의

몸에서 수증기가 피어오른다.

쿠앙--!

다시 주황빛 주먹으로 충격을 쏘아낸 올리야가 내 앞에 선다.

그녀의 얼굴이 발갛게 상기되어 있다.

"와! 자극이 와요. 자극이 와! 거금을 쓴 보람이 있네요. 재연 씨, 지금 전력 아니죠?"

"뭐 그렇죠."

온 힘을 다해 치고 있는 건 사실이지만 그것은 철저히 근력에 한한 이야기이다. 랜드 브레이커를 오직 바닥에 뿌리내리는 용도로만 쓰고 있는 상황.

내 대답에 올리야가 묻는다.

"좋아요!"

환히 웃은 올리야가 다시 정면에 서서 방어를 굳힌다.

후두둑!

실핏줄이 터져 두 눈이 시뻘겋고 입에서도 피가 뚝뚝 떨어진다. 이미 넝마가 된 트레이닝복 때문에 몸매가 다 드러난 상황이지만 그 처절한 모습 어디에서도 색기 따위는 찾아볼 수 없다.

나는 프로 경기에 실망했던 스스로를 반성했다.

'그야말로…… 투사(鬪士)로군.'

그녀는 자신의 자리, 자신이 영역 안에서 전력을 다해 살아가고 있었다.

그 결과가 사람들 앞에 서는 광대라 하여도, 감히 누구도 그녀를 비웃어서는 안 될 것이다.

"반격하세요. 올리야. 그것까지 포함해서 한 합으로 치죠."

"올~ 자신감. 좋아요."

온몸에서 피를 쏟으며.

현대의 투사가 웃었다.

*　*　*

시간이 지난다.

매일매일 정신없이 바쁜 나날이었다. 일단 아침부터 오후까지 필사를 이어 나가며 그 과정을 영상으로 찍어 마이튜브에 올린다.

오후에는 그랜드 타워로 찾아가 올리야와 2시간 동안 훈련한다.

"어서 와, 선생! 또 가슴 보러 왔지?"

"이거 성희롱이야 올리야. 일단 한 대 맞자."

"깡패야, 깡패!"

올리야의 충격 저장 능력이 놀라울 정도로 쑥쑥 성장했다.

처음에는 일격을 받아 내는 것도 버거워하던 그녀는 점점 그 충격을 온전히 흡수하고 반격으로 쏟아 내기 시작했다.

집으로 돌아와서는 길드 콘텐츠를 모조리 참가했다. 길

드 사냥이든 길드 레이드든, 심지어 길드 간에 갈등으로 벌어지는 길드 전쟁에도 빠짐없이 출석했다.

↳샤프가이 : 킬리언스님 오셨어요!

↳지존법사 : 킬리 왔냐. 냉기 저항 끼고 언덕으로 빨리!

↳사과냥이폰 : 이거 쟁 이기고 바로 레이드 들어갑니다!

내가 필요한 사냥터에서 자동 사냥만 돌리던 아싸식 플레이를 줄이고 길드 활동에 집중하자 길드원들과의 대화가 점점 늘어 갔다.

그리고 그 상태에서 정기적으로 열리는 아레스 길드 정모에 참여했다. 그렇게 길드원 사이에서 얼굴을 트기 시작하자 서서히 길드 임원들이 게임 속에서 말을 걸기 시작했다.

↳지존법사 : 킬리 요새 길활 열심히 하네. 막상 성재 놈은 요새 바빠서 게임도 자동 사냥만 돌리는데.

↳킬리언스 : 조만간 같이 뵙겠습니다 형님!

↳아레스(길드 마스터) : 킬리언스님 요즘 활약이 엄청나요. 신진고수야 신진고수.

↳킬리언스 : 앗! 길마님! 더 열심히 하겠습니다!

"아, 이거야 원 현실에서도 안 하는 사회 생활을 게임에서 하네."

투덜거리면서도 채팅은 싹싹하게 친다. 내 체감 나이가 몇이든 현실의 난 아직 20대에 불과하다. 길드 임원들 사이에서 [황제]처럼 굴어서 좋을 게 없으리라.

그리고 종종 사전 인터뷰도 진행했다.

"세상에, 정말 위험했겠네요. 어떻게 그런 상황에서 나서실 수 있었나요?"

"워낙 급박한 상황이라 별생각은 없었습니다."

"그나저나 왕족이라는 이야기가 있던데……."

"무의미한 과거죠."

한 달의 시간이 순식간에 지나간다. 단 하루의 휴일도 없이 충실한 나날들.

그리고 그동안 아르데니아에서도 많은 진전이 있었다.

[한재연 님이 옥좌에 각인을 시도 중입니다!]

[축하합니다! 한 길드가 폭풍의 언덕을 점령했습니다!]

[새로운 성주. 한재연.]

딱!

폭풍범이 차지하고 있던 하변화점에 백돌이 놓이자 속성계 요소, 바람(風)이 해금된다.

내 차크라 경지는 5층에 이르렀다.

'다음 목적지는 좌하화점…… 스페셜 보스는 염마왕(炎魔王)인가.'

그러나 슬슬 한계가 찾아온다.

[소유하고 있는 성에 공성전이 신청되었습니다!]

[대상 폭풍의 성]

[최대 6시간 이내에 공성전을 시작해야 합니다!]

[소유하고 있는 성에 공성전이 신청되었습니다!]

[대상 세계수의 성]

[최대 6시간 이내에 공성전을 시작해야 합니다!]

두 성에 동시에 공성전이 신청되었다.

아니 사실 두 성만이 아니다. 비워 놓았던 인류제국 주변의 착점은 이미 4개나 빼앗겼다.

착점을 빼앗길 때마다 정신이 번쩍 들 정도로 고통이 밀려오니 모를 수가 없다.

"……역시 이렇게 되나."

성을 차지하는 것은 문제가 되지 않는다. 나 혼자 쳐들어가서 닥치는 대로 쓸어버리면 그것으로 던전의 헬 난이도도, 공성도 완료되기 때문.

그러나, 차지한 영역을 지키는 건 다른 차원의 일이다. 내 몸은 하나뿐이니 동시에 두 개 이상의 성을 지킬 수는 없다.
"돈이…… 얼마나 모였더라."
신화급 성, 혹 신화급 성이 아니라도 최소 전설급 성은 올려야 한다. 방어용 부속 건물을 설치해야 하며 그 부속 건물을 이용할 상당수의 병력을 상주시켜야 한다.
내가 단 하루의 휴일도 없이 매일 일하는 이유이다.
"랜드웜, 잠깐 후진하자. 잽싸게 청소만 할게."
[뭐? 또? 야, 몇 번째야. 이게.]
"미안, 미안. 그래도 한 번 뚫어 놓은 굴에서는 더 빨리 가잖아."
[그래도 멀거든! 그 도마뱀 타고 가!]
"너만큼 탑승감이 편하지가 않아. 책 보면서 가기가 어렵다니까?"
[아오! 그래 내가 간다, 가!]
불만을 토하는 랜드웜을 달래며 화점 사이를 왕복한다.
그리고 마침내 좌하화점에 도착할 즈음.

"이번~! 서바이벌 아일랜드에서 화끈한 생존력을 보여주실 특별 게스트! 카리스마 넘치는 황제! 한재연 씨입니다!"
푸화악---!
솟구치는 불꽃을 가르며 카메라 앞으로 나선다.

내 인생 첫 예능이 시작되고 있었다.

* * *

서바이벌 아일랜드.

20년이나 된 국민 예능 중 하나로, 이름처럼 섬 하나를 배경으로 진행되는 프로그램이다.

대체로 과격하고 험난한 콘셉트로 진행되는데, 아무것도 없는 가혹한 환경에서 살아남는 과정을 진행하기도 하고, 최대 100명에 달하는 출연자들이 서로를 탈락시키기 위해 경쟁하기도 한다.

34지구의 정서에 걸맞은 게임적인 전개와 현실에서 그런 전개를 가능하게 하는 설비와 환경. 그리고 출연진이 맞물려 완성되는 결과물은 서바이벌 아일랜드를 34지구뿐 아니라 대우주 널리 이름이 알려진 인기 프로로 만들었다.

팟!

방송 작가들이 손짓하는 대로 텔레포트 게이트에 들어서자 어둑어둑하던 밤하늘이 단숨에 한낮의 그것으로 변한다.

'지구 반대편이란 말이군.'

"이번~! 서바이벌 아일랜드에서 화끈한 생존력을 보여 주실 특별 게스트! 카리스마 넘치는 황제! 한재연 씨입니다!"

푸화악---!

솟구치는 불꽃을 가르며 카메라 앞으로 나선다.
"와, 진짜 보기 어려운 얼굴이네요."
"저는 처음 봐요. 처음!"
"잘생겼다!"
일렬로 서 있던 남녀들이 웃으며 나를 반긴다. 방송을 거의 보지 않는 나로서는 죄다 초면이지만, 적어도 가운데 있는 사람만은 나 역시 아는 얼굴이다.
"황제님, 반가워요!"
귀여운 인상의 소녀가 나를 보며 환하게 웃는다.
160센티 정도의 신장에 분홍색으로 염색한 머리칼, 프릴이 달린 치마와 앙증맞은 흰색 니트.
34지구에 사는 사람이라면 모를 수가 없는 인물.
'영원의 마법 소녀, 강보람.'
초월자는 아니지만 어쩌면 그 이상일지도 모를 강자다. 8클래스 마스터급 결계사이자 화경의 초고수. 특급 무장 궁니르의 주인.
언터쳐블인 황금용신의 계약자이자, 인급 기가스 잔다르크의 주인.
그러나 34지구에서 그녀는 다른 별명으로 불린다.
'국민 MC.'
그녀는 대한민국 MC 중 첫째이며, 세계적으로 유명한 슈퍼스타였다. 깜찍한 외모와 친화력, 누구나 관심 있어 할 온갖 이력과 빼어난 말솜씨는 그녀를 정상의 자리까지 올려 주었다.

“여기서도 황제라고 부르시는 건 조금 부끄럽네요. 사실 영화에서도 제대로 된 황제는 아니었는데.”

“에이 뭐, 그 정도로 그래요. 여기 성재 씨는 자기 입으로 대차원 최고 미남이라고 하잖아요.”

“누님. 그건 사실인데요?”

“어휴. 또 꼴값 떤다.”

보람의 말에 그녀의 옆에 서 있던 성재가 억울해한다.

“하다못해 얼굴값이라고 해야지 꼴값이라뇨! 저 밖에서는 맨날 미남 소리 듣거든요?”

“어디 밖에서?”

보람이 생긋 웃으며 묻자 성재가 버벅거린다.

“밖에서…….”

“어느 밖?”

“그러니까…… 밖…….”

“그러면 여기는 안이세요?”

연속되는 갈굼에 삽시간에 쭈그러지는 성재.

궁지에 몰린 녀석은 그만 금기어를 내뱉었다.

“……할머니.”

“…….”

보람의 얼굴이 장난스런 미소 그대로 박제되었다.

그리고.

Fly away now~♪ Fly away right now~♩ Gold dragon~~♬

'이게 뭐야…… 노래?'

느닷없이 빠른 템포의 노랫소리가 주변 공간을 장악하듯 퍼져 나간다. 나는 슬쩍 귀를 막아 보았다.

여전히 들린다.

'이게 무슨, 물리적인 소리가 아닌데 나한테 들린다고?'

나는 기겁했다. 폐급 마나 적성을 가진 내게 [영적인 정보]가 전달되고 있다!

그러나 진짜 기겁하는 건 내가 아니라 기존의 출연진들이었다.

"으아아악! 이건 변신곡이잖아!? 말려! 말려!"

"아니, 언니 진정하세요! 저놈이 미쳐서 그래요 미쳐서!"

Gold dragon~~♬ Dragon lady~~♪

"으아악! 계속 나온다! 계속 나와! 이러다 변신하겠어!"

"방송 망한다! 우리 다 죽는다!"

"성재 이 미친놈 제가 때려 드릴게요! 이렇게! 이렇게!"

"악! 아파! 내가 뭘 잘못했어!"

……

한바탕 소란 후 상황이 진정된다.

어안이 벙벙한 나와 달리 출연진들은 이런 상황에 익숙한 듯 빠르게 상황을 수습했고, 나는 별 문제 없이 카메라 앞에서 인사할 수 있었다.

"안녕하세요. 교수 지망생에 출현했었고 지금은 글을 쓰고 있는 한재연입니다."

간단히 인사를 하고 몇 가지 근황을 늘어놓는다. 보람을 비롯한 MC와 패널들이 적당히 맞장구를 치거나 질문을 하는 식으로 상황을 끌고 나간다.

연기를 할 때와는 여러모로 다른 분위기였기에 난감했지만, 다행히 그 시간이 길지 않았다. 나 말고도 게스트가 많았기 때문이다.

"안녕하세요! 불러 주셔서 영광입니다. 김혜영입니다!"

혜영 역시 게스트로 참가했다.

"TJ입니다. 반갑습니다!"

흑인에 거구. 모르는 녀석이다.

"강신원입니다!"

"토이X의 젤로입니다! 잘 부탁드려요!"

"보이프랜드의 늘푸른입니다!"

모르는 남자들.

"샤베트 걸의 레아입니다!"

"블루핑크의 분홍입니다! 반가워요!"

"스피카입니다. 반갑습니다."

그리고 모르는 여자들까지.

'이거야, 원. 연예인들 얼굴이라도 알아 둬야겠네.'

솔직히 하나도 관심 없지만, 앞으로도 연예계에서 활동하려면 아무래도 얼굴과 이름 정도는 알고 있어야 할 듯했다. 번거롭지만 이 또한 사회생활이리라.

그런데 뜻밖의 얼굴이 있었다.

"오오. 유명한 연예인이 잔뜩! 반갑습니다! 올리야 그랜트입니다!"

또다시 불꽃이 뿜어져 나오면 올리야가 모습을 드러낸다. 보람이 그녀의 모습에 기겁해 비명을 질렀다.

"악! 올리야 씨! 복장이 그게 뭐예요!?"

"네? 제 전투복입니다만."

"안 돼요, 안 돼! 신성한 토요일 저녁에 이런 복장은 금지예요! 매지컬 체인지!"

팡!

가벼운 바람 소리와 함께 비키니 차림이었던 올리야의 복장이 활동성 있는 스포츠웨어로 변경된다.

"앗! 이런 게 어디 있어요! 방금 그건 제가 일할 때 입는 작업복이기도 하다고요!"

"하여튼 금지 금지! 이 망측한 속옷은 프로그램 끝나고 돌려 드릴게요!"

"속옷 아니기든요!"

나는 시끌시끌한 대화를 들으며 생각했다.
'프로파이터인데 불려 오다니…… 확실히 유명하긴 한 모양이네. 오히려 다이아나 플래티넘 파이터는 안 보이는데.'
어쨌든 모든 게스트가 늘어서자 조명이 훅 하고 꺼지더니 스포트라이트가 비춰진다.
거기에는 한 마리의 샴 고양이가 서 있다.
"서바이벌 아일랜드에 오신 여러분을 진심으로 환영합니다. 방송일 하는 슈퍼냥 나태석입니다."
"귀여워!"
"PD님! 좀 자주 좀 불러 주세요! 제가 STN의 아들인 거 아시죠?"
"와. 저렇게 귀여운데 무슨 레벨이…… 심지어 아직 성체도 아니라던데."
"와, 우리 아빠랑 동갑인데 아직도 새끼란 말이야?"
연예인들이 떠들어 댄다. 그리고 그 모습을 개, 고양이, 독수리, 곰 등의 스마트 펫들이 찍고 있다.
태석이 말한다.
"늘 그랬지만 이번엔 특히나 귀하신 게스트분들입니다. 모시기 정~ 말 힘들었어요."
그렇게 말하며 슬쩍 나를 흘겨본 것은 아마 착각이 아닐 것이다.
"오프닝이 너무 길었으니 빠르게 소개하겠습니다. 오

늘의 콘셉트는 [오룡님이 보고 계셔]입니다."

태석의 설명에 스무 명가량의 게스트들이 술렁거린다.

"오룡……!"

"소문은 들었지만…… 진짜 F·D가 나오는 거야?"

"오늘 드래곤을 직접 보게 되는 거야?"

사람들이 웅성거림 따윈 상관없다는 듯 태석이 설명을 이어 나간다.

"성재 씨, 오늘 우리가 뭘 할지 짐작이 가시나요?"

"솔직히…… 아주 기분이 쎄하네요. 오늘 게스트 면면이…… 너무 쎄해요."

"하긴 멤버가 좀 티가 나긴 하죠."

둘의 대화에 나는 게스트들의 면면을 둘러보았다. 그들의 공통점을 찾기는 어렵지 않다.

'다들…… 자세가 아주 곧군. 기세들도 예사롭지 않고.'

성재가 내 짐작을 곧 확신으로 바꿔 주었다.

"여기 있는 사람 전부가 마스터급 고수잖아요!"

"아, 이거 대놓고 전투 콘텐츠네. 아놔~ PD님 저 요새 삭신이 쑤셔요. 삭신이~. 의사선생님이 무리하지 말라고 했다고요!"

"설마 배틀 그라운드편처럼 죄다 흩어서 서바이벌하는 건 아니죠?"

서바이벌 아일랜드의 기존 멤버들이 불평을 늘어놓기 시작했다.

7클래스 주문을 사역하고 있는 성재나 8클래스 마스터 보람과 달리 나머지 고정 멤버들은 그냥 연예인이었다.

일류 고수, 4클래스 마법사 정도는 되어 보이지만 게스트들에 비하면 확연하게 뒤떨어지는 게 보인다.

'하지만 설마 게스트 전부가 마스터급이라니.'

34지구가 그 어떤 문명보다 경지를 올리기에 좋은 환경인 것은 사실이다.

기본적으로 전 인류의 이능을 강제 각성시키는 데다 관공서에 상주하는 선별사들이 재능의 방향성까지 알려 준다.

거기에 더불어 아주 저렴하게 영약 등을 구매할 수 있으며 모든 비전이 자유롭게 풀려 있으니까.

그러나 아무리 그렇다 해도.

완성자는 아무나 올라설 수 있는 경지가 아니다.

비범한 재능.

불굴의 의지.

능력자들의 천국이라 불리는 34지구에서도 한 줌의, 한 줌밖에 안 되는 인재들만이 완성자의 경지에 도달할 수 있다.

"자, 그럼 지금부터 룰을 설명드리겠습니다. 여러분은 놀라운 실력과 재능을 가진 용사들입니다. 여러분들은 각자 자신이 숭배할 용을 선택해 그들의 가호를 받으며 섬을 탐색하시면 됩니다. 섬 곳곳에는 던전, 퍼즐, 함정,

보물 상자 등이 존재하며 최종적으로 용의 신기를 완성하는 팀이 서바이벌의 승리자가 됩니다."

태석의 설명에 고정 멤버 중 하나가 손을 든다.

"저기 그럼 용신을 선택하는 게 팀 결정인 거죠?"

그 말에 태석이 씨익 웃었다. 고양이인데도 그 속셈이 뻔히 드러나는, 마치 만화처럼 풍부한 표정.

태석이 당당하게 선언했다.

"지금부터 의견 조율 금지!"

대번에 주변이 소란스러워진다.

"뭐, 뭐야? 갑자기 소리가 안 들려!"

"저기요? 와. 분명 여기 있다는 건 알겠는데 손짓·발짓도 전달이 안 되네."

사람들이 혼란스러워하며 주변을 두리번거린다.

'……뭐지?'

나는 최대한 침착하게 주변을 살폈다. 사람들의 말과 달리 나에게는 아무런 변화도 느껴지지 않는다.

'뭔가 텔레파시 같은 걸 걸었나 보네. 아니면 환각이나.'

아까 그 변신곡인가 뭔가 하는 것과 달리 폐급 마나 적성은 그것을 받아들이지 못했다. 태석이 말한 의견 조율 금지가 내게는 적용되지 않은 것이다.

태석이 말했다. 뭐가 그렇게 기분이 좋은지 초콜릿빛 꼬리가 팔랑거린다.

“지금부터 오룡의 가호를 말씀드릴 테니 스스로의 판단으로 선택하시면 됩니다. 다만 선착순이니 이미 자리가 찬 용신을 선택할 수 없어요.”

나는 가만히 서서 용신의 가호에 대한 설명을 들었다.

1. 적룡의 가호

레드 드래곤. 루비의 가디언이 나타나 스테이지 하나만큼의 진행을 도와준다. 쿨 타임 3시간.

2. 청룡의 가호.

블루 드래곤. 사파이어의 벙커가 소환된다. 벙커가 파괴되기 전까지 안정적인 공격이 가능. 쿨 타임 5시간.

3. 흑룡의 가호.

블랙 드래곤. 흑요의 힘으로 대기실에 지정해 둔 외부 장비 하나를 가져올 수 있다. 쿨 타임 24시간.

4. 백룡의 가호.

화이트 드래곤. 스노우의 힘으로 모든 부상을 치유한다. 쿨 타임 1시간.

5. 녹룡의 가호.

그린 드래곤. 플라워의 꽃마차를 소환할 수 있다. 다른 용도로는 쓸 수 없고 밤에 편안히 잘 수 있다. 쿨 타임 5시간.

“블랙 드래곤 흑요를 선택하겠습니다.”

"오! 이거 블랙 드래곤이면 기가스도 쓸 수 있는 거 아냐? 저 블랙 드래곤이요!"

"블랙 드래곤!"

외부 장비를 불러올 수 있는 블랙 드래곤이 인기가 많다.

'하기야 기가스를 챙겨 왔다면 고민할 이유가 없겠지. 기가스를 탄 것과 안 탄 것에는 어마어마한 차이가 있으니까.'

"블랙 드래곤! 악! 다 찼어요? 아이고~!"

여기저기에서 소란이 이는 모습을 지켜보다 선택한다.

"녹룡 플라워를 선택하겠습니다."

아무리 생각해도 전투력이 부족할 것 같지는 않다. 부상도 문제가 안 되고 가져올 장비는 애초에 없는 상황.

그리고 그 결과.

"앗! 선생! 여기 나온다고 왜 이야기 안 했어! 아까 보고 완전 당황했잖아! 설마 때마침 낸 휴가가 나랑 같은 프로 나가는 거라고는 꿈에도 생각 못했네."

올리야가 내게 두 손을 붕붕 흔들며 반가워한다.

"재연 씨, 오랜만입니다."

혜영이 카메라 앞에서와 달리 차분한 태도로 인사한다.

"헐, 뭐야. 우리 셋 다 녹룡 고른 거야? 아! 다시 인사드릴게요. 이성재입니다."

신기할 정도로 아는 얼굴들만 모인다. 물론 전부가 그런 건 아니었다.

"안녕하세요! 달콤한! 샤베트 걸의 레아입니다!"

올리야, 혜영, 성재, 나, 그리고 여자 아이돌 하나.

후에 '깡패 파티'라 불릴 조합이 완성되는 순간이었다.

* * *

그렇게 5명씩 5팀으로 이루어진 총 25명의 참가자는 섬 곳곳으로 흩어지게 되었다.

"당연한 말이지만."

우리 팀의 멤버는 나, 성재, 혜영, 올리야 그리고 아이돌 출신의 레아까지 다섯이다.

그러나 실제 보이는 얼굴은 여섯이다.

"저는 게임에 참가하지 않아요. 말하자면 도우미! 가이드라고 할 수 있죠."

영원의 마법 소녀 보람은 생글생글 웃으며 우리를 이끌었다.

그녀가 진짜로 우리와 함께하는 건 아니고 일종의 분신을 보낸 상황이었다.

'하기야 이런 류의 미션에 그녀가 낄 리는 없지.'

게스트들이 다 마스터급이라지만 8클래스 결계술사면 그야말로 격이 다른 강자다. 농담이 아니라 게스트 전부가 덤벼도 10분 안에 몰살당할 정도였다.

그러니까.

나를 빼면 말이다.

'과연…… 어떨까?'

솔직히 가늠이 안 된다.

아르데니아의 기사들을 상대할 때처럼 단순히 상대의 호흡, 자세, 걸음으로 실력을 간파하는 건 이 정도 경지에서는 불가능한 일이다.

필요한 것은 영감(靈感)이나 직감(直感).

내게는 없는 것들이니 시쳇말로 붙어 봐야 안다.

그런데 그렇게 생각하는 순간.

보람이 고개를 휙 돌려 나와 눈을 마주친다.

"헤에…… 뚫어지겠네요, 뚫어지겠어."

나는 내 마음이 간파당했다는 걸 깨닫고 고개를 숙였다.

"실례했습니다."

"아뇨, 기운차고 좋네요. 싹수 있는 후배를 보는 건 언제나 기분 좋은 일이죠."

싱긋 웃는 그녀의 말에 성재가 야유한다.

"우우~ 거짓말하지 마라! 나는 맨날 갈구면서!"

"너는 싹수가 노라니까 그러지 이 난봉꾼 새퀴야!"

티격태격하며 걸어가고 있을 때였다.

[인카운터!]

날카로운 경고음이 터진다. 물리적으로 귀에 들리는 소리.

그리고 그와 동시에…….

팟!

"무오오오오!"

3미터쯤 되는 덩치의 소대가리 괴인이 포효한다.

"꺄악!"

여자 아이돌이 비명을 질렀다.

"……."

"……."

"……."

일행 모두가 가만히 바라보자 여자 아이돌. 그러니까.

'아, 그래. 샤베트의 레아. 기억해야지.'

하여튼 레아가 무안한 표정을 지었다.

"죄, 죄송해요. 요새 멤버들하고 리액션 예능을 많이 찍었더니…… 지, 직업병이라고 생각해 주세요."

"하하! 그럴 수 있지. 나도 요새 친구 농담에 박수 치면서 자지러지게 되더라고. 연예인의 숙명이라고 생각해."

어색한 성재의 목소리를 뒤로하고 시선을 돌렸다.

소대가리 괴인을 보고 두려워하는 이는 아무도 없다. 이중에 저놈하고 일대일로 싸워서 지는 사람이 없으니 당연한 일이다.

오히려 사람들은 흥미진진한 표정으로 녀석을 보았다.

"와, 이건 진짜 살아 있는 것 같은데? 내가 상대할게요!"

호쾌하게 소리친 올리야가 땅을 박차고 달려 나가자 소대가리, 그러니까 미노타우로스 녀석도 마주 달려온다.

"무오오오오!"

"이야아앗!"

쿠웅!

묵직한 소리와 함께, 올리야와 미노타우로스의 머리가 서로 맞닿았다.

무지막지한 떡대를 가진 3미터짜리 괴물과 훤칠하다고는 하지만 그래 봐야 늘씬한 여인에 불과한 올리야가 서로의 이마를 들이받는 것!

그러나 당연하고도 상식적이게도.

올리야의 승리였다.

"무오오옹!?"

미노타우로스가 휘청휘청하더니 바닥에 주저앉는다. 진동을 다루는 경천칠색 수련자와 물리적으로 충돌했으니 멀쩡할 리가 없다. 땅에 박힌 철 기둥에 머리를 박는 것 이상으로 충격이 클 터였다.

"빵!"

그때 내 옆에 서 있던 성재가 손가락을 겨눠 방아쇠를

당기는 시늉을 한다.

소리보다 빠른 나무 탄환이 미노타우르스의 입 안으로 빨려 들어가고-.

전투는 그것으로 끝이었다.

파스스스…….

"어? 시체가 사라진다!"

"이거 뭐야? 소환수였나? 안드로이드인 줄 알았는데."

"소환수가 아닙니다."

우리를 따라다니며 촬영을 진행하고 있던 스마트 펫이 샴고양이로 변한다. 태석이 동기화를 했다는 뜻이다.

"다들 몬스터 사태에 대해 알고 계실 겁니다. 대략 추산된 피해만 해도 천문학적인 규모의 참사죠."

모두가 고개를 끄덕인다. 당연히 알고 있는 문제이기 때문이다. 34지구에는 아무런 피해도 끼치지 못했다 하더라도 몬스터 사태는 대우주 전체에 영향을 끼치고 있는 대형 이슈였으니까.

그리고 그렇게 말이 나온 이상 미노타우르스의 정체를 아는 건 어려운 일이 아니다.

"어떤 게임의 몬스터겠군."

"그렇습니다."

태석의 대답에 레아가 의문을 표한다.

"PD님! 하지만 저 몬스터들은 사람 많은 장소에만 등장하는 게 아닌가요?"

"맞습니다. 다만 게임 마스터께서 그것들을 유도하는 장치를 만드셨지요. 쉽게 설명하자면…… 몬스터들의 등장 좌표를 바꿔치기하는 식이라고 합니다."

"내가 얻어 왔지! 홍보 효과 무시할 수 없다고 하니까 주더라고!"

V를 그리는 보람의 말에 모두가 기겁한다.

"네!? 게임 마스터님께 직접요?"

"맙소사!"

대우주에서도 최강의 반열에 해당하는 최상급 신 게임 마스터는 신과 인간 사이에서 태어난 반신이었다.

그는 고등학생 때 종말 프로젝트가 지구를 덮치기 전까지 평범한 삶을 살았는데, 보람은 그 시절 그의 학교 후배로 친한 관계였다고 한다.

신과 동기 동창이라는 우스갯소리를 듣는 일성 회장만큼은 아니어도 보람은 34지구에서 게임 마스터와 가장 친한 사람 중 한 명이다.

"우리 엄마 저녁마다 게임마스터님께 기도하는데……."

"이건 황금 인맥 정도도 아니네. 그야말로 신맥이다. 신맥."

감탄하는 사이 몬스터가 또 등장했다.

[인카운터!]

“자자, 잡고 합시다!”

진행은 순조로웠다. 우리는 섬을 돌아다니며 각종 게임을 진행했다.

섬에 들어올 때는 모두 비무장이었지만 섬을 탐험하며 보물 상자를 발견해 장비를 획득하고 퍼즐을 풀어 드래곤들에게 버프를 받았다.

[인카운터!]

[인카운터!]

[인카운터!]

다만 문제가 좀 있다.

“이거 인카운터가 점점 짧아지고 있지 않아? 나 마나 딸려!”

성재의 말에 어깨를 으쓱인다.

“그래도 이득이지. 몬스터 잡는 것도 다 포인트라잖아.”

사실 이득은 그것만이 아니었다.

“또 나왔다!”

“와, 7개 중 6개가 재연이한테 나왔어. 이럴 수가 있나?”

몬스터를 잡으니 아이템이 떨어졌던 것! 그 모습에 성재가 어이없다는 듯 웃었다.

"와, 말은 들었지만 직접 보니 어이가 없네. 아무리 그래도 현실에서 아이템 파밍이라니. 레아!"

"네, 오빠! 스킬 북!"

레아의 옆에 금색의 책이 소환된다.

나는 옆에 서 그 모습을 바라보았다.

'게임 마스터의 사제라.'

쉽게 보기 어려운 존재다. 게임신의 사제가 되기엔 34지구에서도 꽤나 큰 자본이 필요한데다가 그렇게 만들어진 사제들은 레벨업을 위해 평화로운 34지구를 떠나 우주를 떠돌기 때문이다.

"[감정]!"

그렇게 소리친 레아가 설명을 읽는다. 쉽지 않은 듯 눈을 가늘게 뜨고 끙끙대는 모습.

그러나 스킬까지 동원하는 그녀와 달리, 나는 일견하는 것만으로 아이템 설명을 읽을 수 있었다.

[오우거 건틀릿]

오우거의 힘이 담긴 건틀릿. 캐릭터의 힘(Str)을 10레벨로 고정.

1. 근접 무기류에 한해 10데미지 보너스.

2. 중량 제한 +200으로 보다 많은 짐을 들 수 있음.

3. 도적과 마법사는 장착 불가.

"어떤 게임 출신이야? 오거 나오는 게임이 하도 많아서."

"아 던전&던전 출신인 모양이에요! 끼면 오우거의 힘을 가지게 된데요."

"배터리도 마나석도 필요 없이? 개사기 아니야?"

"뭐, 다른 아이템이 그러하듯 내구가 있겠지만요."

오늘 하루 잡은 몬스터가 100마리가 넘는다는 걸 생각하면 드랍률이 그리 높은 편은 아니었다. 그마저도 7개 중 6개가 내가 잡은 몬스터에게서 드랍된 것이었으니 어쩌면 실제 드랍률은 더 낮을지도 모른다.

'아, 이거.'

그러나 아이템을 얻으면서도 썩 기분이 좋지 않다.

'이거 역시…… 나랑도 관련이 있는 문제다.'

사실 전혀 짐작하지 못하던 일은 아니다. 전 우주적으로 벌어지고 있는 이 정체불명의 몬스터 사태는 여러모로 내 능력과 연관되어 보이는 것들이 많았으니까.

'틀림없이 연관이 있어 보이면서도 다르단 말이야.'

그냥 대뜸 나타나서 지성체를 공격하는 게임 속 몬스터와 과금력을 부어서 능력을 얻는 내 능력은 게임이라는 그 근원은 같아 보이지만 방향성이 전혀 다르다.

처음부터 끝까지 물음표투성이 능력이었다.

"플라워팀! 발견한 보물 상자 3개! 승리한 게임 2개! 처치한 몬스터 210마리로 현재 스코어 2위입니다!"

"아니 그렇게 잡았는데 2위야!?"

"그래도 고생하셨어요!"

"아이고 삭신이야!"

첫날 일정이 끝나고.

우리는 적당한 공터를 찾아 그린 드래곤, 플라워의 꽃마차를 소환했다.

"와! 여기 조리 도구 잔뜩 있어요!"

"조미료도 있다!"

"침실도 인원수대로 있어! 짱이다!"

플라워의 꽃마차는 기대 이상의 성능을 가지고 있었다. 드래곤의 보물답게 대충 봐도 궁극 마법이 적용되었다는 사실을 알 수 있는 물건!

정찰을 나갔던 혜영의 말에 따르면 다른 팀은 불을 피우고 집을 짓느라 보통 난리가 아니라고 하는데 우리는 꽃마차 덕에 편하게 저녁을 먹을 수 있었다.

우리는 모닥불을 피우고 그 주위에 둘러앉았다.

솔직히 개인 방으로 들어가 쉬고 싶었지만 그럴 수 없었다.

서바이벌 아일랜드의 PD인 태석이 슬쩍 들렀기 때문이다.

"저녁 이후의 시간은 가급적 모여서 보내 주세요! 자연스럽게 사담을 나눠 주시면 더 좋습니다!"

'아니 시켜서 하는데 그게 어떻게 자연스러운 사담이야.'

라고 불만을 가지는 건 나쁜이었다.

"네~"

"알겠습니다!"

"야, 롤링 페이퍼 할까? 롤링 페이퍼?"

모두들 이런 상황이 익숙한 모양이다.

'하긴 우리가 이 섬에 사냥하러 온 것이 아니니까.'

전투 씬은 충분히 뽑았으니 다른 장면도 만들어야 했다.

"아! 그러고 보니 올리야 님하고 재연 님은 어떻게 아시는 사이에요? 막 선생님이라고 부르던데."

역시 아이돌이라는 건지 레아가 능숙하게 화제를 꺼냈다.

올리야가 웃으며 대답했다.

"링에서 만났어. 선생님 데뷔 무대 상대가 나였거든."

"앗! 재연 님 프로 파이터로 데뷔하신 거예요? 하긴 아까 보니까 엄청 세시더라고요!"

활기차게 웃는 레아는 전형적인 아이돌이다. 늘씬한 몸에 오밀조밀한 이목구비, 상큼함이 묻어 나오는 표정까지.

성재가 웃으며 말을 받았다.

"레아도 대단하던데? 게임신의 사제인데다 아직 서른도 안 되었는데 5클래스의 경지에 오른 마법사잖아? 계통도 정말 깜짝 놀랐어. 그게 그 소문의 증폭학(增幅學)인가?"

"네, 어쩌다 보니 적성에 맞아서요."

"요새 아이돌은 엄청나네. 춤추고 노래하고 연기에 작곡까지 하는데 고위 능력자이기까지…… 마스터급만 모은 오늘 게스트만 해도 봐봐. 무려 10명이 아이돌이더라고."

"아이돌 경쟁이 어마어마하긴 해요. 요새 엔간한 아이돌 팀에 고위 능력자 멤버 하나씩은 껴 있을 정도니까요."

우리는 이런저런 주제로 담소를 나눴다. 아직 다들 여유가 있었기에 분위기는 나쁘지 않았다.

'안전하기도 하고.'

지금 서바이벌 아일랜드에는 파이브 드래곤이 와 있다.

하위 문명에서는 신으로 숭배받기까지 하는 초월자가 하나도 아니고 다섯.

아무리 상황이 꼬여도 위험해질 수가 없다. 하기야 그러니 실전이나 다름없는 전투 콘텐츠를 방송으로 만들 수 있는 것이리라.

"연기도 그랬지만 정말 뭘 하시든 곧잘 하시네요."

혜영이 다가와 말을 건다. 자기 전에 씻은 것인지 머리칼이 촉촉이 젖어 있다.

"뭘 하든 긴장을 안 하는 편이라."

간이 큰 편이다. 그러지 못했다면 20년 동안 중세랜드에서 살아남지 못했겠지.

지금에 와서 내가 긴장할 일은 내 목숨이 위험하거나, 내 사람이 죽거나, 혹은 내가 이뤄 놓은 것들이 무너져 내리거나.

시청 공무원이 세금 87억을 입에 담을 때밖에 없다.

'……다시 생각해도 소름 돋네.'

뭐 어쨌든.

틀리면 다시 하면 그만이고 잘못해도 악플이나 몇 개 달리는 게 전부인 촬영은 그리 긴장되는 과정이 아니었다.

"대단하시네요."

그렇게 말하고는 성큼 걸어와 내 옆에 앉는다. 자신의 무릎에 턱을 괴는 그녀의 눈동자에 타닥타닥 불타는 모닥불이 비친다.

"저는 아직도 긴장을 완전히 떨치지 못하겠어요. 예전에 아이돌 때도 그러다 망했는데."

"아, 그러고 보니 아이돌 출신이었지?"

"네. 레아가 그렇듯 고위 능력 담당이었죠. 막상 얼마 활동도 못 하고 망했지만요."

"그건."

막 입을 떼려다 우리를 가만히 보고 있는 고양이의 모습을 보고 멈칫한다.

퐁!

고양이의 머리 위로 글자가 떠오른다.

[카메라 보지 마세요! 카메라가 없다고 생각하시고 담소를 나누셔야죠!]

"아니 카메라가 뻔히 있는데 어떻게 없다고 생각해……."

"후후!"

문득 혜영이 웃는다.

"그래도 첫 예능이 맞긴 하네요."

"아무리 예능을 많이 해도, 이렇게 뻔히 보이는 카메라를 안 보이는 척하기는 쉽지 않을 듯한데……."

"선생!"

그때 활기찬 목소리와 함께 올리야가 다가온다.

"체력 남는다! 오늘도 훈련할까?"

그녀의 말에 어이가 없어 되묻는다.

"카메라 앞에서 훈련을 어떻게 해? 그 장면이 전국으로 방송되는 꼴을 보고 싶은 거야?"

"아, 가슴 터지는 거? 괜찮아. 링에서도 많이 터지는데. 내 꼭지 본 사람 백만 명도 넘……."

"악! 악! 금지! 금지! 야한 이야기 금지!! 신성한 주말 예능에서 무슨 이야기를 하는 거예요!"

"아니 내가 내 몸 이야기하겠는데~~! 한국 사람들 너무 꼰대스러워요!"

어느새 찾아온 보람까지 끼어들어 시끌벅적한 한 때.

바로 그때였다.

"……어?"

올리아를 혼내고 있던 보람의 얼굴에 의문이 깃든다. 그 옆에 앉아 있던 성재가 묻는다.

"왜 그러세요?"

"갑자기 통신이 끊겼는데? 아니 외차원 탐사용인데 이럴 수가 있…… 뭐야, 저게."

심각한 목소리에 화기애애하던 사람들의 시선이 모였지만, 그럼에도 보람은 전혀 신경 쓰지 않았다.

그녀는 그저 멍하니 하늘을 올려다보고 있다. 자연스레 하나둘 다른 사람들의 시선 역시 하늘을 향했다.

"음? 갑자기 무슨…… 어?"

"어?"

"하늘이…… 닫히고 있어?"

그들의 말 그대로였다. 어둑어둑하긴 해도 무수한 별들로 가득하던 하늘이 마치 양옆에서 거대한 뚜껑이 씌워지는 것처럼 차례대로 빛을 잃어 갔다.

그리고 어느 순간.

-크아아아앙--!

온몸의 털이 삐쭉 서는 포효와 함께.

그것이 나타났다.

"……농담이지?"

사기(死氣)로 가득한 검은색의 몸체. 그 거대한 몸의

몇 배는 될 법한 날개.

그러나 무엇보다 가장 심각한 문제는, 그 위에 박혀 있는 글자이다.

망령룡(신화).

레플리.

언젠간 녀석을 보게 될 거라고 생각은 했다. 막연한 계획이나 목표 따위가 아니라 내가 아르데니아를 살아가는 이상 반드시 벌어지게 될 필연.

그러나 그때는 지금이 아니었고.

장소가 여기여서는 더더욱 안 된다.

"저, 저거 망령룡 아니야?"

다른 일행들도 새롭게 등장한 적의 정체를 눈치챘다.

"망령룡 레플리……."

"맞아. 저 모습, 교과서에서 봤어."

황급히 몸을 일으킨 성재가 마력을 끌어올리며 레아에게 물었다.

"레아! 어디 게임 출신인지 알 수 있겠어?"

60억이 넘던 34지구의 인구를 5억까지 줄였던 종말 프로젝트의 네임드, 망령룡은 이후 소설, 영화, 드라마 등 온갖 매체에서 활용되었다.

게임의 몬스터로도 쓰인 건 두말해 입 아픈 소리.

"망령룡은 게임에 따라 초월지경인 경우도 많단 말이야……!"

안타깝게도.

리벤지가 바로 그런 경우였다.

훅.

순간 주변 공기가 위로 끌려가는 것을 느낀다. 마력을 모으고 있던 성재의 표정이 창백해진다.

"주, 주위의 마나가 전부……."

레아 역시 비명을 질렀다.

"앗! 주문이 풀렸어요! 마나가 빨려 들어가요!"

위를 올려다보자, 하늘에 떠 있는 망령룡의 입으로 정체불명의 어둠이 집결하는 모습이 보인다.

"꽃마차 뒤로 숨어!"

"할 수 있는 모든 방어 능력을 사용해!"

모두가 발작적으로 움직이는 순간.

레플리가 숨을 내뱉자 어둠이 쏟아지기 시작했다.

[어둠을 잡아먹어 열매를 맺는 꽃이여.]

모든 것은 1초를 수십 수백 개로 쪼갠 찰나에 일어났다.

마치 환상처럼 피어난 직경 수백 미터짜리 꽃이 땅으로 떨어져 내리고 있던 암흑의 기운을 잡아 삼켰다.

[심판의 불]

그리고 백색의 폭염이 레플리의 몸을 뒤덮고.

쩌저적!

몰아치는 냉기가 수십 미터 규모의 얼음 검으로 변해.

텅!

그대로 레플리의 목을 잘랐다.

쿠쿠쿵!

레플리의 거대한 몸이 땅에 떨어지자 마치 폭탄이 터진 듯 먼지구름이 일었다.

그 무시무시한 등장과 달리 허무한 퇴장이었다.

"궁극 마법! 파이브 드래곤이다!"

"그래! 오룡님이 보고 계셔! 우리 쪽에도 초월자가 있다고!"

"와! 지금 이거 찍었나? 찍었지? 하긴 통신이 끊긴 거지 카메라가 고장 난 건 아니니……! 와, 대박이다!"

환호하는 사람들과 달리 난 기뻐할 수가 없었다.

'공교롭다.'

대우주 전체에 큰 피해를 입히고 있는 몬스터 사태지만, 그럼에도 그 사이에 초월급 몬스터가 끼어 있다는 말은 없었다.

'그런데 여기에 하필 초월급 몬스터가 나타나고, 하필 그게 리벤지의 레플리라고?'

공교롭다. 너무나 공교로운 일이다.

"이, 일단 다른 사람들하고 만나야 해! 통신은요?"

"아직 안 돼! 비상 상황에 선착장에 모이기로 되어 있긴 한데."

"그럼 이동부터 하죠!"

"모두 멈추세요."

막 뭉쳐서 움직이려던 사람들 앞에 한 인영이 모습을 드러낸다.

허리까지 내려오는 녹색의 머리칼, 단정한 디자인의 원피스에 커다란 녹주석이 박힌 지팡이를 든 여인.

보람이 그녀를 알아보았다.

"플라워 님? 왜……."

"아직 안 끝났어요."

훅!

그때 자욱한 흙먼지를 헤치고 망령룡이 고개를 든다. 온몸이 엉망으로 그을려 있고 목 부분이 검은색의 기운으로 대충 기워진 기괴한 모습이지만, 그럼에도 불구하고 아직 살아 움직인다.

쿠릉!

그때 하늘에 먹구름이 낀다.

그 과정이 너무나 빨라 '엇.' 하는 순간 이미 집채만 한 굵기의 벼락이 레플리를 향해 떨어지고 있었다.

쩡!

그러나 무지막지한 굉음과 함께 벼락이 갈라진다.

"벼락을…… 갈랐다고?"

어느새 레플리의 머리 위에는 한 명의 사내가 서 있었다. 뒤늦게 그 모습을 본 레아가 신음했다.

"마, 마검왕 히페리온이에요! 블레이드&매직의 최종 보스! 그랜드 소드 마스터!"

심지어 그게 끝이 아니었다.

고오오…….

어둠의 기운이 퍼져 나가자 엉망으로 당했던 레플리의 몸이 복구된다. 레아가 허탈하게 웃었다.

"다크 메시아……"

"아는 게임 출신이에요?"

내 말에 레아가 고개를 끄덕였다.

"다크 스타라고 데트로 은하 연방에서 작년에 나온 모바일 게임이에요. 34지구에는 아직 서비스하지 않아서 저도 시네마틱 영상밖에 못 봤죠. 기대작이긴 했지만……. 설마 게임도 못해 봤는데 1시즌 보스를 현실에서 만나게 될 줄은 몰랐는데."

레아의 말에 보람이 어이없어 한다.

"아니 오늘 최종 보스 총집합이야? 무슨 콜라보 이벤트 같은?"

초월자급 적이 셋, 그야말로 상식을 벗어난 초유의 사태에 모두가 망연자실하다.

그리고 그 사이에서.

난 실망하고 있었다.

'에이, 뭐야. 날 노리고 온 게 아니었네.'

그렇게 생각했다가 멈칫했다.

'아니, 내가 미쳤나? 왜 실망을 하고 앉아 있어?'

혼란스러워하는 와중에도 상황은 흘러간다. 우리 앞을 막아섰던 플라워가 레플리를 비롯한 몬스터들에게서 눈을 떼지 않은 채 말한다.

"당신들을 온전히 지켜 주긴 어려워요. 가급적 마차에서 떨어지지 마세요."

뿌드드득!

그 말을 마지막으로 그녀의 발밑에서 거대한 나무가 자라나 그녀를 허공으로 들어 올린다. 앗, 하는 순간에 그녀의 모습이 멀어진다.

"아니, 이게 무슨 상황이야. 뭐가 어떻게 된 거지?"

"초월자라니…… 망령룡에 히페리온이라니……."

콰쾅! 쾅!

우리는 망연자실해하며 천지가 개벽할 듯한 전투를 지켜보았다.

문제는 새로 모습을 드러낸 몬스터는 초월급 셋이 다가 아니라는 점이다.

"크오오오오---!!

"불을 밝히도다! 꿈을 긍정하도다! 세상을 뒤집고 천하를 도탄에 빠져들게 하도다!"

"불불어어 오오는는 어어둠둠 데데스스나나이이트트의의 율율법법!"

수십. 아니, 수백 명의 시체가 뭉쳐 일어난 골렘, 광기에 빠져 마구 소리 지르는 사제복의 뱀파이어, 검은 갑주로 온몸을 가린 죽음의 기사까지.

온갖 게임에서 나오는 괴물들의 모습은 그야말로 가지각색이다.

공통점이라고는 그들 전부가 어둠, 혹은 죽음 속성의 몬스터라는 것뿐이었다.

"진형을 짜! 꽃마차를 등지고 싸운다!"

"나랑 올리야가 정면을 맡을 테니, 뒤에서 보호해 줘! 혜영 씨는 틈을 봐주시고요!"

이미 하루 종일 같이 싸운 경험이 있던 우리는 능숙하게 쏟아져 오는 적들을 상대했다.

"꽃마차의 결계를 강화할게! 잘 버텨야 해!"

그 말을 마지막으로 보람의 모습이 사라진다. 그녀의 분신이 품고 있던 모든 기운을 사용한 것이다.

웅!

꽃마차의 결계가 한층 두꺼워지며 마치 성벽처럼 주위에 둘린다. 나와 올리야가 서 있는 위치는 말하자면 성문.

결계 강화 덕분에 공격이 정면으로 제한되니 전투가 한

층 쉬워진다.

"성재야! 너 7클래스 마법 지금 쓰면 딱 좋을 거 같은데."

성재는 나무 속성이 장기였지만, 단 하나의 주문만은 상황이 달랐다. 그것이 자신의 주문이 아니라 기연으로 사역하게 된 주문이었기 때문이다.

때마침, 그 속성이 빛. 그러나 성재는 고개를 흔들었다.

"오늘이 시작된 지 너무 오래돼서 안 돼! 적어도 3시간은 자고 일어나지 않으면……!"

"아니 오늘이 시작된 지 오래된 게 무슨 상관이야?"

"내 주문이 아니라 사역한 거라니까!"

무슨 말인지는 모르겠지만 하여튼 못 쓴다는 말이다. 영화를 촬영할 때에는 항상 조건을 맞춰서 썼던 모양이다.

"아, 쉽게 가는 게 없군."

투덜거리며 전투를 이어 나간다. 몬스터들의 숫자가 늘어났지만, 난데없이 나타난 초월급 몬스터처럼 특별한 개체는 보이지 않는다.

'차분하게 1시간 정도면 다 잡을 수 있다.'

그렇게 생각했다.

그러나 20분, 40분, 1시간이 지나고.

다시 2시간, 3시간이 지났을 때.

나는 내 판단이 틀렸다는 것을 인정할 수밖에 없었다.

"하악…… 하악…… 선생…… 나 배고파서 더는 안 돼……."

"끝이 없어…… 기껏 다 죽이면 또 나타나잖아?"

"저도 마나가……."

몬스터들의 파도는 끝이 없었다.

다행히 그들끼리 진형을 짠다거나 전략 전술을 사용한다거나 하지 않고 무작정 덤벼들어 버틸 수 있었지만…….

이렇게 끊임없이 싸우다간 결국 말라 죽는 미래밖에는 없다.

'오룡이 세 초월급 몬스터를 해치우고 도와준다면 이야기는 다르겠지만.'

쿠쿵!! 콰쾅!! 콰르릉!!

안타깝게도 저 멀리서 들리는 폭음은 전혀 그칠 기색이 없다.

촤악!

몬스터들의 그림자에서 튀어나온 혜영이 그림자 주인의 다리를 잘라 넘어트린 후 꽃마차의 결계 안으로 들어선다.

그녀의 얼굴이 밀랍처럼 창백하다.

"술식을…… 유지할 수가 없어요……."

상황이 점점 심각해진다. 몬스터의 수는 아까보단 줄었지만, 여전히 백이 넘었다.

만 단위 적은 베어 버리던 입장에서는 조촐해 보이지

만…… 문제가 있다.

'녀석들의 면면이 만만하지 않아.'

하나같이 기괴하고 강력한 적들이다. 리벤지식으로 치면 영웅급 정도 되는 녀석들은 랜드 브레이커로 일격필살을 노리거나 몇 번 충돌해 방어를 뚫어야지 대충 칼을 휘둘러서는 죽일 수 없는 강적.

그러나 진짜 문제는 그다음이다.

'백인참하고 천지검을 쓸 수가 없잖아!'

이 평타 확산 스킬들은 통제가 되는 능력이 아니다. 애초에 리벤지에서 다른 플레이들과의 갈등이 생기라고 설계한 스킬인 것이다.

아르데니아에서야 같은 파티, 같은 길드 뭐 이런 식으로 회피할 수 있었지만 지구에서는 상황이 다르다.

천지를 가르는 검은커녕…… 백인참만 잘못 써도 아군의 목이 다 날아갈 것이다.

'아, 검신 말고 다른 신화 하나 있으면 교체해서 싸우면 될 텐데.'

그러나 방법이 없는 건 아니었다.

"로그인."

아르데니아로 들어간다.

"후우."

일단 한숨 돌린다. 랜드웜이 묻는다.

[야, 언제까지 대기해? 안 올라가?]

"아, 지금은 바쁘니까 나중에."

[가만히 있으면서 뭐가 바빠?]

"하여튼 바빠."

나와 랜드웜은 좌하화점에 와 있는 상태다. 이대로 땅을 뚫고 올라가면 스페셜 보스 염마왕을 만날 수 있다는 뜻.

그러나 지구 상황이 급박한데 여기에서까지 전장을 늘릴 수는 없다.

[그러면 그냥 이렇게 있으라고?]

"가만히 있기 뭐하면 북쪽으로 꺾어서 길을 뚫거나 근처에서 놀고 있어."

그렇게 대충 말을 넘긴 뒤 천천히 수인을 맺는다. 오랜만이어서 조금 헷갈렸지만 급할 것도 없었기에 차분하게 완성시켰다.

'수인을 맺는 데…… 아이고. 이젠 9초가 걸리네.'

수인을 간소화시키긴커녕 속도마저 퇴보했지만 아무런 문제가 되지 않는다. 요새는 수인의 숫자를 위력을 늘리는 쪽을 고민하고 있다.

냉기(冷氣). 현문(賢門). 일격(一擊). 거문(巨門). 개방(開放).

빙참격(氷斬擊).

술식을 완성한 후 이번에는 내기를 운용한다.

뿌득! 뿌드득!

온몸의 근육이 부풀어 오른다.

압축되어 날렵해졌던 근육이 스트롱맨이나 생체력 수련자같이 과장되게 커진다. 온몸을 휘도는 진기가 육체의 힘을 극한까지 끌어내 평소 닿을 수 없는 영역으로 내 몸을 떠밀었다.

그리고 그대로.

"로그아웃."

휘둘렀다.

랜드 브레이커(Land Breaker).

달려들던 시체 거인의 팔을 가로로 자르며 지나간다. 그대로 전진하며 검을 휘두르자 온 내공을 담아낸 검기와 냉기가 폭포수처럼 쏟아진다.

쩍!

포효하며 달려들던 암 속성의 괴물들이 일거에 썰려 나간다. 나를 중심으로 한 부채꼴 모양의 간격 안에 있던 모든 적이 죽었다.

크리티컬 따위도 필요 없는 거대한 참격!

심지어 그게 끝도 아니었다.

쩌저저저적!

쏟아진 냉기에 조각난 시체들이 꽝꽝 얼어 버린다. 신나서 달려들던 적들이 날카롭게 솟구쳐 있는 얼음에 충돌해 피를 흘렸다.

"로그인."

아르데니아로 넘어가 그대로 엎어진다.

"끄…… 아!"

덜덜-.

몸 여기저기가 시퍼렇게 멍 들었다.

"아, 육체가 강해져도 이건 달라지지가 않네."

생명력이 엄청 높아진 지금의 나는, 자다가 총을 맞아도 아무런 타격이 없을 정도의 내구를 가지게 된 상태.

그러나 그 강력한 생명력보다도 근력이 더 높다.

이건 성장 방향성의 문제라서 전력을 쏟아 내면 항상 이 모양이 될 수밖에 없다.

[쑥 송편(고급)를 섭취하였습니다! 4시간 동안 회복력과 마나 회복력이 100포인트 증가합니다!]

잠시 의자에 앉아 쉬자 엉망이던 몸 상태가 점점 회복되어 간다. 회복력도 이미 꽤 높기 때문에 100포인트만 올려도 상태가 확 좋아진다.

"아, 그래도 일격필살 방식에 점점 익숙해지긴 하네. 한 방에, 전체 내공의 1할이라니."

나는 랜드웜의 조종석에서 한참을 쉰 다음 지구로 이동했다.

"로그아웃."

지구로 돌아오자 일행 모두가 멍한 표정으로 날 바라보고 있다.

"이, 이게 뭐야? 이 정도면 4클래스 고코스트 마법…… 아니 그냥 5클래스 파괴 마법 정도는 되겠다. 내공으로 이런 공격을 해도 괜찮아? 효율이 안 높을 텐데……."

"괜찮아! 이대로 한참은 더 싸울 수 있으니 다들 잠시 쉬어! 올리야! 너도 빠져서 뭐라도 먹고 잠이나 자!"

내 말에 올리야가 당황한다.

"하지만 먹을 게 없는데……."

그녀의 말에 나는 다시 고개를 앞으로 돌렸다.

내가 가장 앞에 있는 상태였기에 내 입을 볼 수 있는 사람은 없다.

"아르데니아. 중문(重門). 개방(開放)."

작게 속삭이고는 차크라를 열었다.

이제는 꽤 능숙하게 인벤토리의 아이템을 꺼내 든다.

"소환(召喚). 쑥 송편."

팟!

송편 한 접시가 손에 잡힌다. 그냥 음식이 아니라 송편을 소환한 것은, 나와 달리 그녀의 온몸이 상처투성이였기 때문.

그러나 올리야는 부상을 걱정하는 대신 소환된 송편을 보고 황당해했다.

"아니 난데없이 웬 송편이……? 접시까지 있다고?"

"먹어 봐."

뒤로 던지자 올리야가 황당해하면서도 정확하게 받았다.

그리고 어리둥절해 한다.

"……뭐야? 먹을 수가 없어! 그냥 입 안에서 녹아 버리는데?"

"아, 이런."

혹시나 했던 시도의 무산에 혀를 찬다. 이러니저러니 해도 결국 나 혼자서 다 쓸어버리는 수밖에 없는 모양이다.

'송편을 남들한테 먹일 수 있으면 편할 텐데.'

그런데 그렇게 생각하는 순간.

(86,404,030원)

삑!

(86,141,220원)

시야 한편에 떠 있는 과금력에 변화가 있었다.

“……?”

잠시 상황 파악을 못하고 있는 내 귀로 와! 하는 올리야의 탄성이 들렸다.

“아! 이제 먹어진다! 맛있다!”

‘아니, 이게 무슨…….’

상황은 단순하다. 과금력이 줄어들었고, 송편이 실체화되었다.

“이게 되네…….”

기대했던 일이지만, 동시에 기가 막힌 일이다. 물리학이고 영능학이고 죄다 무시하는 현상.

그러나 잘 생각해 보면, 내 능력은 그 근본부터가 세상의 모든 상식에서 벗어나 있었다.

‘아니, 그런데.’

문득 억울해진다.

‘영웅급도 아니고 희귀급도 아니고…… 고작 고급 송편 한 접시에 과금력이 26만 원이나 깎인다?’

그냥 음식이 아니라는 점에서 납득을 못할 정도는 아니지만, 고작 고급 등급에 소비 아이템이 이 정도라면 그 이상의 아이템들은 얼마나 할지 상상조차 두려울 정도다.

“어? 이게 뭐야? 선생! 상처가 치유되고 있어!”

“뭐 보이는 건 없고?”

“보이다니?”

아무래도 그녀에겐 시스템 문구가 보이지 않는 모양. 그래도 아이템 자체는 정상 작동하니 다행이었다.

"그럼, 문제없겠군."

나는 송편 3접시를 추가로 소환했다.

"다들 한 접시씩 먹고 돌아가며 휴식해! 일단은 내가 막는다! 아, 그리고."

나는 내친김에 멧돼지 뒷다리도 소환했다.

그리고 생각한다.

이것도 다른 사람이 먹을 수 있으면 좋겠다고.

(85,352,790원)

턱.

(85,271,780원)

'아니. 이것도 비싸네.'

절로 탄식이 나왔지만, 잘 생각해 보니 15킬로그램짜리 멧돼지 뒷다리면 이 정도 가격도 이해 못 할 바는 아니다.

"이거 구워 먹고 자."

"아니, 어디서 생고기를……."

올리야가 기막혀하며 고기를 받아 갈 즈음 얼음의 벽을

헤치고 몬스터들이 도착했다.
그 모습을 보며 일행에게 지시를 내렸다.
“레아 씨만 저를 도와주세요! 싸움이 길어질 듯하니 그 동안 나머지는 송편 챙겨 먹고 쉬어!”
쩡!
거기까지 말하고 달려든 데스나이트의 검을 막아 낸다.
일행은 할 말들이 많은 표정이었으나 군말 없이 송편을 든 채 꽃마차 안으로 들어갔다. 이것저것 따지기엔 많이 피곤하기도 했을 것이다.
“정면에 증폭 걸어 드릴게요!”
“잘 부탁합니다.”
레아의 경우 그나마 체력과 마력이 꽤 남아 있는 상태다. 전투가 길어지자 공격 마법을 제한하고 증폭 마법으로 성재 녀석을 보조하는 것에 집중한 덕이었다.
나는 그녀가 주문을 외우는 것을 확인한 후 정면으로 빙참격을 방출했다.
콰쾅!
정면으로 쏘아진 냉기와 검기가 증폭되는 게 느껴진다.
“오! 효과 좋은데요?”
성재의 마법이야 얼마나 강해졌는지 알 수 없었지만, 이미 위력을 잘 알고 있는 내 기술의 경우는 이야기가 다르다. 증폭된 위력을 정확하게 가늠이 가능한 것!

그러나 레아의 표정은 어두웠다.

"증폭률이 1.7배밖에 안 돼요. 너무 복합적인 기운이라……."

내 생각과 달리 그녀는 궁합이 좋지 않다 느끼는 듯했다. 그 말에 정면을 응시하며 입을 열었다.

"굳이 증폭시킬 필요 없으니 자의로 판단하셔서 보조 부탁드립니다."

그렇게 말하고 보물 상자에서 찾은 검을 중단으로 둔다.

촬영용 소품이라 그런지 쓸데없이 화려하지만 실전을 염두에 둔 만큼 괜찮은 성능에 마법까지 인챈트 되어 있는 무기.

"하늘이 무너지고 땅이 꺼지는구나! 너희는 모두 죽고 영겁토록 고통에 몸부림칠 것이다!"

"아, 그놈 참 시끄럽구먼."

파앙!

랜드 브레이커의 공능으로 만 년 고목처럼 두 다리를 뿌리박은 채, 괴성을 지르며 달려드는 적을 마주 친다.

"죽죽음음의의 노노래……!?"

달려들던 기사의 목을 잡아챘다. 꽤나 두터운 갑주가 녀석의 목을 둘러싸고 있지만, 빌딩을 잡아 뽑는 초월적인 근력 앞에서는 종잇장일 뿐이다.

와직! 와자작!

갑주를 찢어 버리고 그 안에 있는 뼈를 부순다. 새까만 뼈가 박살나자 뼈에 매달려 있던 죽음의 기운이 사방으로 흩어져 버린다.

푹푹푹!

적도 마냥 당하지만은 않았다. 흩어지던 어둠이 가시로 변해 내 온몸을 꿰뚫은 것!

총알을 맞아도 멀쩡할 정도로 강한 내구를 지닌 육신이지만 죽음의 기사가 죽음을 전제로 한 공격을 버텨 낼 수준은 아니다.

"큭!"

왼팔을 들어 심장과 얼굴만 방어한다. 온몸이 피투성이가 되었지만 상관없다.

"로그인."

아르데니아로 들어가 송편을 먹고 충분한 휴식을 취한다. 수인을 맺어 차크라를 열고 내공을 운기한, 만전의 상태로 돌아온다.

"로그아웃."

그리고 검을 휘둘렀다.

빙참격(氷斬擊)&랜드 브레이커(Land Breaker).

쩌저적!

또다시 쏟아진 냉기와 검기의 폭풍에 적이 찢기며 얼어

붙는다. 개중에는 공격의 여파만으로 얼어 버리는 이들도 있었다.

"세상에…… 재연 씨? 이게 대체."

레아가 당황하는 모습이 보인다. 일행이 모두 빠지고 나 혼자 남았는데 방어가 뚫리긴커녕 적들이 쓸려 나가고 있으니 당연한 반응이다.

나는 적당히 설명하기로 했다.

"내가 8클래스 마법사를 잡았다는 말은 들었지요?"

"아, 네. 그런 일이 있다고……."

"숨겨 놓은 권능이 있다고 이해하시면 돼요. 꽤 반동이 있어서 가급적 쓰고 싶지 않았지만…… 상황이 이러니 어쩔 수 없죠."

"와! 데몬베인 님이나 레드쿠키 님 같은 경우군요!"

"……누구요?"

내 물음에 레아가 눈을 동그랗게 뜬다.

"에? 아, 그 데몬베인 님은 천족 혼혈인 싱어송라이터시고 레드쿠키님은 진조 출신 배우신데, 모르시나요? 활동은 별로 안 하셔도 출신이 출신인지라 유명한데."

"……."

예상치 못한 정체에 순간 할 말을 잃었다.

'아니 연예계에 별놈이 다 있네. 진짜.'

기막혀하면서도 검을 들어 방어 자세를 취한다.

쾅!

5미터가 넘는 시체 거인의 주먹을 막아 내며 생각한다.

'제대로 해야 해.'

지금까지 대충 싸운 것은 아니다. 난 거인족 이상의 괴력으로 공격을 쳐 내고 검기를 뿜어내 목을 잘랐으며 차크라도 아낌없이 썼다.

상황이 여의치 않으면 적당히 치명타만 터트려 쉐도우 트와이스 등의 스킬을 활용한 것은 물론이다.

그러나.

대충 싸우지 않았다는 것이 내 전력이라는 뜻은 아니다.

'카메라 앞이라서 조금 꺼려지긴 하지만…….'

당장 꽃마차 위에 고양이 모양의 스마트 펫이 앉아 있다. 하늘을 올려다보면 섬 여기저기를 날아다니는 새 모양의 스마트 펫이 보인다.

그러나…… 난 이미 카메라 앞에서 8클래스 마법사, 브람을 살해한 경력이 있다.

지금 이 자리에 8클래스 마법사가 있었으면 별 어려움 없이 적들을 막을 수 있었을 거라는 사실을 생각하면 이제 와 능력을 숨기는 게 얼마나 무의미한 일인지 알 수 있다.

"로그인."

아르데니아로 넘어가 수인을 맺고 내공을 운기한다.

"로그아웃."

그리고 지구에서 쏟아 냈다.

"로그인."

"로그아웃."

"로그인."

"로그아웃."

그 과정을 끝없이 반복하자 주변의 기온 전체가 무시무시한 기세로 떨어진다.

언데드는 냉기에 강한 존재가 아니다.

이미 싸늘하게 식어 있는 그들의 피와 살은 냉기 앞에서 쉽게 얼어 버리고 만다. 물론 그렇게 꽁꽁 얼더라도 죽지 않을 테지만, 완전히 얼어 행동 불능이 되어 버리면 다 상관없는 이야기.

"히, 히이…… 너무 추워요! 온도가, 엑? 영하 107도!?"

마법으로 나를 지원하던 레아가 비명을 지른다. 돌아보니 이미 꽃마차 위를 얼음이 뒤덮고 있는 게 보인다. 다행히 마차 자체는 궁극 마법으로 보호받아 온도가 차단되는 듯했다.

"레아 씨도 들어가세요."

"하아…… 하아…… 네, 네!"

그 말만을 기다렸다는 듯 꽃마차의 문을 열고 안으로 피한다. 나는 마법검을 들고 한숨 쉬었다.

"아, 마차에 들어가도 천지검 범위에 들어가네……."

"크아악!"

"이, 추위! 혹한! 그 어떤 것도 다가올 종말을 막아설 수 없음이…… 켁!?"

"시끄럽다고. 로그인."

반복한다.

"로그아웃."

계속 냉기를 쏟아 낸다.

"로그인."

계속해서 지구와 아르데니아를 왕복한다.

'오래 걸리는군.'

시간 배율은 당연히 압도적으로 아르데니아 쪽이 길다. 술식을 맺는 시간과 휴식 시간은 거의 20분에 달하는데 검격을 쏟아 내는 데 걸리는 시간은 말 그대로 잠깐에 불과하기 때문이다.

자세를 고치는 시간이나 몇 걸음 이동하는 시간이 있다는 걸 감안하더라도 지구에서의 1초가 아르데니아에서 2시간에 육박한다.

당연히 문제가 생겼다. 아르데니아 역시 격변의 시기였기 때문이다.

[소유하고 있는 성에 공성전이 신청되었습니다!]

[대상 폭풍의 성]

[최대 6시간 이내에 공성전을 시작해야 합니다!]

[소유하고 있는 성에 공성전이 신청되었습니다!]
[대상 세계수의 성]
[최대 6시간 이내에 공성전을 시작해야 합니다!]

"아, 이것들이 진짜."

성에 꿀이라도 발라 놨는지 끊임없이 시도한다. 공성을 오는 족족 다 쳐 죽이고 있음에도 그 태도는 전혀 변함이 없다.

하기야 어차피 죽어도 리젠되는 녀석이니 공세를 쉴 이유가 없다.

얼음 여왕만 해도 냉기 몬스터를 끝도 없이 보내서 던전의 기온을 낮추는 방식의 공격을 시도했을 정도다.

"아, 빨리 돈 벌어서 성 지어야 하는데! 병력 상주시켜야 하는데! 아, 다 망했네. 진짜!"

현실의 상황이 금방 해결될 기미가 안 보이니, 돈을 벌어서 과금력을 올리는 데 애로사항이 꽃핀 상황이다.

'아니, 그것보다 심하지.'

위기 상황에 과금력을 소모해 아르데니아의 아이템을 지구에서 꺼내는 방법을 깨달았다.

과금력이 쌓이는 게 아니라…… 오히려 깎이는 상황이 된 것이다.

'이렇게 되면 계획을 바꿔야겠군.'

원래는 대륙을 한 바퀴 돌아 천원을 제외한 모든 화점

을 차지할 생각이었다.

지금의 성장세라면 천원을 먹지 못해도 나머지 8개의 화점을 먹으면 차크라의 역량이 무량구층의 구 층.

즉, 초월의 영역이기 때문이다.

'하지만 초월지경을 얻어도 초월자가 못 된 것처럼…… 그걸로 초월자가 될 수는 없다.'

다른 영능도 그렇지만 차크라는 특히나 스펙만으로 강해지지 않는 영능이다.

설사 차크라 역량이 구 층에 이른다고 하더라도 요소의 경지가 깊지 않으면 낼 수 있는 힘에는 한계가 있기 때문.

다만 전체적인 역량이 상승하는 건 틀림없는 일이었기에 시도하고 있었는데.

'이제는 다 소용없군.'

애초에 이 계획은 아르데니아에서는 화점을 차지해 나가면서 지구에서는 돈을 버는 걸 전제로 하고 있었다. 돈을 벌어 화점에 성을 짓지 못하면 지키지도 못할 화점을 차지하는 행동 따위 내게 위험을 불러올 뿐이다.

차지했던 착점을 빼앗겼을 때도 무시할 수 없는 리바운드가 오는데 차크라 층수를 올리는 화점을 빼앗기면 무슨 일이 일어날지 상상하기 어렵다.

'이렇게 되면…… 좌하화점을 차지하지 않은 게 오히려 잘된 일이군.'

물론 그렇다고 그냥 간다는 말은 아니다.

"랜드웜. 지금 어디로 가고 있어?"

[가긴 어딜 가. 아까 거기 아래야.]

"음? 계속 움직이고 있잖아."

[그냥 그 아래서 움직이고 있을 뿐이다.]

"왜 난데없이 지하 대미궁을 만들고 앉아 있어……."

어이가 없어 웃었지만 이내 명령을 내린다.

"위로 가자."

[그래! 뭣 좀 먹어야지.]

콰콰콰!

꽤 깊게 내려왔던 건지 한참을 올라간 랜드웜이 지면을 박살 내며 솟구친다.

그리고.

"뭐야, 이건."

나는 멍한 표정으로 랜드웜을 올려다보는 수천 마리의 몬스터를 내려다보았다. 그들 한가운데 앉아 거드름을 피우고 있던 불타는 거인과 잔뜩 쌓여 있는 땔감 위에 갈색 머리칼의 소녀가 매달려 있는 모습이 보인다.

염마왕의 설정은 불꽃의 마인(魔人).

아무래도 녀석들이 인간으로 화형식을 하려던 모양이다.

"랜드웜. 저기 저 제단 옆으로 가 봐."

[오냐.]

쿠구구!

랜드웜이 제단 근처로 접근하자 그 주변을 둘러싸고 있던 몬스터들이 기겁해 물러난다.

아무리 난폭하고 잔인한 성정의 마인이라도 빌딩만 한 크기의 웜이 기어오면 감히 비키지 않을 도리가 없었다.

지잉.

나는 열리는 랜드웜의 비늘을 지나쳐 땅으로 뛰어내렸다.

와자작!

"……이것 봐라."

미처 눈치채지 못했는데 땅에는 까맣게 그을린 두개골이 산처럼 쌓여 있다.

수천. 아니 어쩌면…… 수만 명이 넘는 인간이 불태워져 죽었다는 말이다.

"지금까지 중 가장 최악이군……."

쓰게 웃으며 소녀를 묶고 있는 쇠사슬을 잡았다.

깡! 깡!

가볍게 끊어 낸 후 쓰러지려는 소녀를 안아 들었다. 심한 폭행을 당한 듯 온몸이 멍투성이임에도 감추지 못할 미색이 보인다.

"당신은……."

"평소라면 귀환 스크롤을 썼겠지만 지금 쓰면 괴물들이 차지한 폭풍성으로 갈 테니."

나는 가볍게 땅을 박차 랜드웜의 조종석으로 돌아왔다. 그리고 조종석에 그녀를 내려놓고 송편과 포션을 꺼내 주었다.

"마무리하고 올 테니 먹고 마셔라."

내 말에 소녀가 멍하니 나를 올려다보다 입을 열었다.

"당신은…… 천사인가요?"

"천사는 무슨. 난 그런 존재가 아니다."

"하지만, 등에 날개가 돋아 있는걸요?"

"……!"

터져 나오는 비명을 간신히 억눌러 평온을 가장한다.

'아, 제길. 행운의 엔젤 윙 수트가…….'

그러나 어쩔 수 없다. 이제 몬스터를 잡을 건데 행운템을 벗을 수는 없는 일 아닌가? 성능충인 내가 옵션을 포기한다는 건 있을 수 없는 일이다.

"……날개가 있다고 다 천사는 아냐. 랜드웜 문 닫아 줘."

그렇게 말하고 다시 밖으로 뛰어내린다. 내 펫인 랜드웜은 공격 대상에서 제외되기에 그 안에 들어가 있으면 범위 공격의 타깃이 되지 않는다.

탁.

다시 땅에 내려선 난, 곧장 염마왕 앞으로 향하지 않았다.

'중요한 건 가장 약한 적을 찾는 거지.'

내 공격을 인지조차 못 할 정도로 둔하고 별다른 방어

능력이 없어야 한다. 내가 앞에서 수인을 맺고 운기를 해도 제대로 반응하지 않을 정도로 멍청하면 그야말로 금상첨화.

"크르…… 인간? 불태운……!"

괴성을 지르며 덤벼 들려는 순간.

토끼발 망치가 포탄처럼 발사된다.

스텍은 충분하다. 지구에서 넘치도록 쌓아 두었다.

[천검-백인참(百人斬)]&[천지를 가르는 검]

랜드 브레이커(Land Breaker).

쩍.

시끌시끌하던 평원이 단숨에 침묵에 잠긴다. 수만 마리의 몬스터가 머리가 사라진 채로 서 있다.

그리고.

동시에 쓰러졌다.

와르르!

"아, 그래! 이 맛이지!"

요즘 맨날 쓰고 다녀서 전혀 인식을 못 했지만, 이 콤보 진짜 말도 안 되는 사기다.

지구에서 이걸 못 쓰니 숨이 막혀 죽을 것 같았다.

화악!

그때 쓰러진 시체들 사이에서 폭염이 솟구친다.

"크악! 크아아악! 크에에엑!"

몸을 일으킨 불꽃의 거인이 불꽃을 피처럼 토한다.

"너, 너어! 인간! 지금 무슨 짓---!"

쩍!

괴성을 지르던 염마왕의 머리가 크게 뒤로 밀려 그대로 쓰러진다.

나는 오랜만에 스킬 설명을 보았다.

[쉐도우 트와이스 (전설)(패시브)]

치명타, 혹은 확정타, 혹은 최대 타격, 혹은 반격, 혹은 상태 이상 공격(기절, 실명, 침묵, 화상, 슬로우 등) 성공 시 1초 뒤에 동일한 데미지가 들어간다.

그리고 또 3초 뒤에 두 공격을 합친 만큼의 데미지가 다시 들어간다.

"음~ 좋아. 아주 개운해."

화아아악!

순간 다시 불기둥이 솟구친다. 순식간에 그 덩치를 키운 염마왕이 괴성을 내질렀다.

-감히---! 난! 아직! 죽지 않았다!

나는 신경 쓰지 않고 인벤토리에서 고급 등급의 둔기로

분류된 파라솔을 꺼내 들었다.
펄럭!
터터텅! 텅!
쏟아진 아이템이 펼쳐진 파라솔에 튕겨 사방으로 흩어진다.
쏟아지는 빗속에서 염마왕을 본다.
"그래. 넌 아직 죽지 않았지."
고개를 끄덕이며 말한다.
"그러나 이제 죽는다."
말과 동시에.
쩍!
쉐도우 트와이스의 최종 타격이 들어갔다. 빛퀴벌래라 불리던 에드워드면 몰라도 공격 특화인 염마왕이 버틸 수 없는 수준의 타격.
그리고.

[축하합니다! 한 길드가 염마왕을 해치웠습니다!]
[최고 기여도. 한재연.]

전투가 끝났다.
'아, 명령 하나면 열심히 뛰어다닐 병사가 그립다. 명색에 황제인데 언제까지 혼자 뛰어다녀야 하나.'
투덜거리며 아이템을 파밍했다. 전설, 영웅급 아이템

은 인벤토리에 넣고 희귀급 아이템 중에 서는 가벼운 것들만 챙기고 부피와 질량이 큰 철갑구 등은 랜드웜에게 먹였다.

"웃차."

"헉?"

"……?"

느닷없는 비명에 고개를 돌리자 내가 들어 올린 커다란 바위에 눈을 동그랗게 뜨고 있는 소녀의 모습이 보인다.

무시하고 바위를 내려놓는다.

쿵.

남은 아이템들을 묻어 놓은 자리를 큰 바위로 눌러 두었다. 이는 하나의 이정표도 될 테니, 나중에 이곳을 차지하게 되면 바위를 치워 주고 아이템을 파내게 하면 될 것이다.

몬스터들도 아이템을 활용한다는 사실을 알았는데 그냥 쌓아 두고 가기는 위험도가 분명 있었다.

"몸은 좀 괜찮나?"

"살려 주셔서 감사합니다. 설마 제가 살 수 있을 거라고는 생각지 못했는데……."

내가 구해 낸 여인은 10대 후반 혹은 20대 초반으로 보이는 외모를 가지고 있다.

처음 봤을 때는 소녀로 보인 이유는, 너무 긴 시간 동안 굶고 고초를 겪어 만들어진 마른 몸 때문이었다.

"어쩌다 잡힌 거지? 아니, 그보단…… 어떻게 너 혼자 살아 있었지?"

유골이 산처럼 쌓여 있다. 수만 명이 넘는 사람이 불태워져 죽은 상황.

그러한 상황에서 오직 한 명만이 생존해 있다는 건 아무래도 이상한 일이다.

'신성제국의 성녀 같은 건가? 그래서 염마왕이 마지막까지 남겨 뒀다던가.'

그러나 그녀에게서 이능의 기색은 전혀 찾아볼 수 없다.

'내가 아무리 영감이 없어도 그걸 못 알아볼까.'

몸 안에 깃든 영능은 어떤 식으로든 육신에 영향을 끼친다. 호흡, 체온, 자세, 피부 상태 등등.

적어도 내 상식선에서 그녀는 일반인에 불과하다.

"노래를…… 했어요. 그 마귀 놈들이…… 제가 노래를 할 수 있는 동안은 죽이지 않겠다고 했거든요. 좀 때리긴 했지만……."

"……."

"노래하다 죽을 거라고 생각했는데……."

그러고 보니 아까 그녀의 목소리가 잔뜩 갈라져 있었다. 지금은 많이 나아졌지만, 여전히 쉬어 있는 상황.

"뭐, 일단."

나는 인벤토리에서 귀환 주문서 2장을 꺼냈다.

"잠시 같이 다녀야겠네."

몬스터가 몰살당하고 홀로 하늘을 찌르듯 서 있는 던전을 바라본다.

이대로 들어가서면 30분, 길어도 2시간 안에 클리어할 수 있지만, 당연히 그럴 생각은 없었다. 이대로 좌하화점을 공략하면 지킬 장소만 늘어나는 데다 귀환 주문서의 도착 지점이 이곳으로 지정되기 때문이다.

전에 폭풍성, 세계수의 성 순서로 수성을 진행하고 그대로 돌아왔기에 귀환 주문서의 도착 지점은 세계수의 성이다.

파앗!

공간을 뛰어넘어 목적지에 도달한다. 화점 간의 거리가 6칸이라는 걸 생각하면, 폭풍성을 뛰어넘어 단번에 1,200킬로미터의 거리를 날아온 것이다.

"키르르르륵!"

"인간이 나타났다!"

옥좌에 모여 기세등등하고 있던 리자드맨들의 모습에 한숨 쉰다.

"하, 잡것들 진짜……."

전투는 그리 길지 않았다.

리자드맨의 숫자는 너무나 적어 천지를 가르는 검 스택도 못 채울 정도였다.

"……음?"

그런데 전투를 끝내고 온 내 눈에 이질적인 모습이 보

인다. 머리칼은 피와 기름으로 떡 져 있고 피부는 피딱지와 땟국물이 흐르던 여인이 몰라볼 정도로 깔끔해져 있던 것이다.

"씻은 건가? 그 사이에?"

"네, 폐하. 새로운 평원이 생겨나 땅이 밀려 있지만, 연못과 엘프들이 사용하는 향료가 남아 있었습니다."

엉망인 상태에서도 상당한 미색을 자랑하던 그녀는 이제 34지구에서도 쉽게 볼 수 없는 빼어난 미모를 뽐내고 있다.

'아니, 이건…… 정상이 아닌데?'

미모가 그렇다는 게 아니라, 이 상황에 미모를 관리하는 태도가 그렇다.

불과 수십 분 전까지만 해도 마인들에게 잡혀서 모진 고문과 폭행을 당했던 그녀가, 비록 송편과 포션의 힘으로 부상을 회복했다 하더라도 대번에 물가를 찾아 몸을 씻고 머리까지 감고 오다니.

전투 시간이 그리 길지도 않았고, 부상이 회복되었더라도 체력까지 멀쩡할 리는 없다는 걸 생각하면 가히 광기(狂氣)에 가까운 자기 관리라 할 수 있었다.

'설마 멀쩡한 건가? 아니군, 다리가 떨리고 있어.'

그러나 그 와중에 표정은 또 차분하다.

여러모로 기묘한 캐릭터였다.

"이름이 뭐지?"

"그레이트 홀의 프리마돈나, 하모니라고 합니다. 폐하."

"폐하라…… 나를 아나?"

"인류 제국에 대한 소문은 이곳에서도 모르는 이가 없습니다. 대부분 헛소문이라고 무시하지만, 적어도 허공에 떠오르는 신언까지 무시할 수 있는 이는 없지요."

그녀의 설명을 들으며 생각한다.

'프리마돈나라.'

프리마돈나는 오페라의 주역 여가수를 뜻하는 말이다. 그다지 예술이 발전하지 못한 팔 왕국이나 명 제국 등에는 잘 알려지지 개념.

즉, 그녀는 신성제국 출신이며.

'배우이자 가수라는 말이군.'

지구에서 연예인의 위상은 어마어마하다.

많은 사람에게 사랑받고 막대한 수익을 벌어들이며 어지간한 고위 공무원보다 강력한 사회적 영향력을 가지는 존재.

'그 때문에 많은 이들이 연예계를 꿈꾸지.'

노래를 잘 부르는 사람이 가수가 되고, 연기를 잘하는 사람이 배우가 되는 것은 이상한 일이 아니다. 자신의 장기를 찾은 것이니까.

그러나 현실은 어떤가?

교수가 될 수 있는 지능을 가진 이도 할 수만 있다면

연예인을 하고 외교관이 될 수 있는 사람도 할 수만 있다면 연예인을 한다. 사업 수완을 가진 사람도, 젊은 나이에 마스터급 이능력자가 될 수 있는 사람도 그럴 능력과 기회가 된다면 기꺼이 연예인을 한다.

멀리 갈 것도 없이 5클래스 마법사인 레아조차 아이돌이 되지 않았던가?

할 수만 있다면. 성공할 수만 있다면 다들 이쪽으로 들어오고 싶어 한다. 왜냐하면, 그것이야말로 돈과 명예. 그리고 자아실현까지 할 수 있는 선망 받는 직업이기 때문이다.

'하지만 아르데니아에서는 달라.'

아르데니아에서는 예술에 대한 재능이 있다 하더라도 그것을 억누르고 살아야 한다.

이곳은 예술가가 존경받는 세상이 아니다.

대형 극장의 프리마돈나라고 해 봐야 귀족들이 내킬 때 품는 고급 창녀나 다름없는 존재. 이 야만적인 중세랜드에서 예술가로서의 재능과 열망은 차라리 없느니만 못한 짐에 불과하다.

그러나 그런 세상이라도.

누군가는 자신의 재능에 자부심과 자긍심을 가질 수 있다.

"……너무 무리하지는 마라."

그렇게 말하고 랜드웜을 불러 폭풍성으로 향한다.

이번에도 전투는 간단했다.

'제길. 100마리도 안 되잖아. 겨우 이 숫자를 잡으려고 직접 와야 하다니…….'

영웅급 성이라도 지어서 소규모 인원이라도 주둔시켜야 할 모양이다. 미래에는 내륙에 위치한 영웅에서 전설 수준의 몬스터들이 세력을 뻗쳐 올 테니 결국 신화급으로 업그레이드해야 할 테지만…… 이대로는 내 발이 묶여 아무것도 못한다.

지잉.

그때 허리에 차고 있던 패드가 진동한다. 화면을 터치하자 수락된 영상 통화에서 플라워의 모습이 떠오른다.

[정기 보고입니다.]

"특이 사항은?"

[크롬 왕국이 인류 제국에 복속되었습니다.]

나는 크롬 왕국을 굳이 건들지 않았다. 그럴 가치가 없었기 때문이다. 가뜩이나 할 일이 많아 죽을 지경인데 가진 거라고는 인구 몇만과 얼마 되지도 않는 물자가 전부인 망국의 잔당들에게 뭐 얻어 낼 게 있겠는가?

"귀족들이 순순히 복속했을 리가 없는데."

[헤이즈 경께서 홀로 들어가 해결했습니다.]

아무리 잔당이라 하나 혼자서 왕국 하나를 무너트렸다는 말.

그야말로 전설적인 결과였지만 놀라기에는 당연한 결

과다. 원래부터 크롬 왕국에 명성을 떨치고 있던 그녀가 플레이어로서 스텟과 스킬을 가진데다 소드 마스터의 경지까지 가지게 되었으니 감히 대항할 수 있는 자가 없었으리라.

"흠. 현재 인류 제국의 인구는 어떻게 되지?"

[크롬 왕국과 아인족들까지 모두 받아들인 총 인구는 600만 명가량입니다. 소식을 듣고 찾아드는 난민으로 계속해서 늘고 있습니다.]

"시민증은?"

[지금까지 총 170만 명이 발급받았습니다. 난민들이 최우선적으로 얻길 원하는 게 바로 시민증인 만큼 그 속도가 점점 빨라지고 있습니다.]

"몬스터들의 공격은?"

[간혹 수백에서 수천의 몬스터들이 습격해 오는 경우가 있지만 성벽에 가로막혀 손쉽게 격퇴하고 있습니다. 랜드윌님께서 뚫어 주신 지하도로로 인해 습격 빈도도 크게 줄어들었지요. 다만 농장에 종종 피해가 발생해 양몰이 연대가 주기적으로 순찰 중입니다.]

모든 것이 순조롭다.

다만 문제가 전혀 없는 것은 아니었다.

[정예병, 혹은 연대들이 서로 성벽을 지키겠다고 갈등이 빚어지고 있습니다.]

"경비에서 빼고 싶어 하는 게 아니라 서겠다고 싸운다고?"

[성벽 경비는 현존하는 가장 빠른 레벨 업 방법이니까요.]

"아, 그게 또 그렇게 되나……."

죽으면 기억을 잃고 리젠되는, 그래서 공포 따윈 모르는 고등급 몬스터가 무더기로 몰려오는데 그것들이 성벽에 가로막혀 넘어오질 못한다.

거기에 성벽에서 쓸 수 있는 공성 오브젝트까지.

'생각해 보니 이만한 꿀이 없군.'

레벨이 곧 스펙인 인류 제국.

방아쇠만 당기면 폭렙업을 경험할 수 있는 성벽 경비는 플레이어라면 당연히 바라 마지않는 자리가 될 수밖에 없었다.

"성벽 경비를 서려면 일정 시간 동안 치안 관리하고 순찰을 해야 하는 방향으로 진행해."

[부대장들에게 명령 전달하겠습니다.]

"공모전은?"

[현재 82작품이 접수되었습니다. 접수 자체는 400편이 넘었지만 말씀하셨던 대로 분량이 되지 않는 작품들은 쳐 내고 있습니다.]

"그래. 적어도 1권은 되어야 해."

대충 상황을 정리한다.

그리고 가장 중요한 용건을 말했다.

"원정 준비를 해라. 깃발 1에서 3연대를 세계수의 성에. 4에서 6연대를 폭풍성에 주둔시키겠다. 후에 두 성을 강화하고 주민들이 거주할 수 있을 때까지 훌륭히 성을 지켜 낸다면 그들을 묶어 깃발 사단(Division)으로 승격시키겠다."

[공지 후 빅맨 대위에게 전달하겠습니다.]

"잘 부탁해."

[네, 그리고, 폐하.]

머뭇거리는 목소리에 묻는다.

"무슨 일이라도 있어?"

[외유가 너무 길어지시고 있습니다.]

그녀의 말에 쓰게 웃었다.

"일이 좀 꼬여서. 아무래도 한 템포 쉬어가야 할 듯하니 깃발 연대가 자리 잡게만 도와주고 복귀하도록 하지."

[네! 즉시 실행하겠습니다!]

뭔가 기뻐 보이는 목소리를 들으며 통화를 끝낸 난 고개를 돌렸다 근처 벤치에 앉아 있는 하모니를 보게 되었다.

그리고 멈칫한다.

"……뭐야?"

하모니의 모습이 그 사이에 또 바뀌어 있다.

높게 땋아 올려 곱게 정리한 금색의 머리칼, 실크로 만들어진 백색의 드레스, 볼과 눈가에 열게 되어 있는 화장까지.

"아니, 이게 뭐야…… 옷이야 찾아 입으면 된다지만 어떻게 그 사이에 메이크업에 머리까지 했지?"

누가 있나 싶어 주변을 둘러보았지만 아무도 없다. 화장과 머리를 스스로 했다는 말이다.

'나를 유혹하려고…… 꾸민 것 같지는 않은데.'

화장과 복장만 봐도 안다. 이건 누구 한 명의 마음을 사로잡기 위해서가 아니라 수많은 사람에게 자신을 뽐내기 위한 모습이다.

마치 무대에 올라서는 아이돌 같은 모습.

"코오…… 코오……."

심지어 그 복장으로 그녀는 자고 있었다.

어이없게도 어디 기대지도 않고 꼿꼿이 앉아 자고 있었는데, 아무래도 기껏 한 머리와 화장을 지키기 위한 버릇인 듯했다.

"이건 뭐 하는 녀석이지……."

꾸며 낸 콘셉트가 아닌 진짜 중의 진짜다. 4차원을 넘어서는, 무슨 생각을 하는지 알 수 없는 성향.

그때 하모니가 눈을 뜬다.

"……아. 폐하. 끝나셨군요."

"그래. 그런데 이 복장은 뭐냐?"

"일종의…… 전투복입니다. 이그니션에 들르게 될 테니까요."

"이그니션?"

난데없는 단어에 의문을 표하자 하모니가 말했다.

"염마왕이 만든 도시입니다. 사막 지대에 있는 모든 인간을 한곳에 몰아넣었지요. 현재 머무는 인원이……. 약 100만가량이라고 하죠."

상상을 초월하는 수에 멈칫한다.

"100만이라……."

몬스터 사태가 터진 지금 상황을 생각해 보면 있을 수 없는 규모에 황당해서 묻는다.

"염마왕이 그들을 죽이지 않기로 마음먹었다면야 한 자리에 모으는 건 어려운 일이 아니겠지만…… 사막 지대에 그만한 인구가 모이면 식량 문제가 있을 텐데?"

"염마왕의 부하들이 끝없이 가져다주더군요. 하기야 가축을 키운다면 사료를 주는 게 주인의 일이겠지요."

그녀의 말에 깨닫는다.

'아니 이 몬스터 놈들 죄다 공장 돌리네.'

리벤지에 음식 재료가 멧돼지 뒷다리만 있는 게 아니다. 대륙 남부에 위치한 키넬 평원에 있는 들소들에게서 음식 재료 소 등심이 드랍되고, 몬스터들 중에서도 음식 재료를 드랍하는 녀석들이 다수 존재하니까.

그리고 염마왕이 끝없이 가져다 줄 만한 재료라면……

"헬하운드 고기겠군."

"아, 네. 그런 이름이었습니다."

하모니의 말에 고개를 끄덕인다. 100만이라니. 이건 그냥 지나칠 수 있는 정보가 아니다. 인구가 끝도 없이 더 필요한 인류 제국이니 더욱 그러하다.

나는 그녀를 보며 생각했다.

'내가 지금 혼자 가 봐야 100만 명을 수습할 수는 없겠지만, 그래도 상황을 파악하고 어느 정도 조처를 할 필요가 있겠지. 어쩌면 그 100만 명을 성에 모아서 화점을 지키게 하는 게 가능할지도 모르고.'

결국, 마음을 정한다.

"위치를 말해."

인구 확충의 시간이었다.

chapter3.

인재 영입

chapter3.
인재 영입

세계수의 성과 폭풍의 성의 등급을 영웅급으로 업그레이드하고 방어 건물과 수정 오브젝트들을 설치했다.

마음 같아서는 전설급으로 맞추고 싶었지만 그러기에는 예산이 부족하다.

성 하나 덜렁 사면 끝나는 게 아니라 부속 건물과 오브젝트들까지 구입해야 하니 더욱 그러하다.

'일단, 이 정도만 해도 주변 몬스터는 무리 없이 막아낼 수 있겠지만…….'

문제는 내륙의 몬스터들이다.

훅.

의식이 가라앉으며 내면세계가 열린다. 차크라의 경지가 5층에 이르면서 확연하게 넓어진 방.

나는 한쪽 벽을 차지하고 있는 바둑판을 보았다.

"역시…… 이렇게 되는군."

화점을 차지하고 있던 속성계 몬스터들은 분명 골치 아픈 적이지만, 동시에 내륙에 존재하는 고등급 몬스터들이 외곽으로 나오지 못하게 막는 방벽이기도 했다.

그리고 내 손에 우상화점의 얼음 여왕, 우변화점의 에드워드, 하변화점의 폭풍범이 죽은 지금.

녀석들이 부지런히 차지했던 영역은 원래의 몬스터들이 등장하는 방식으로 리셋되었다.

내륙의 영웅급, 전설급 몬스터들이 슬금슬금 외부로 영역을 확장하는 건, 어쩌면 자연스러운 흐름이라 할 수 있었다.

'착점들은 영웅급 이상의 몬스터들이 차지하게 될 거야. 아니, 어쩌면…… 최종적으로 대부분의 착점을 전설급 몬스터가 차지하게 되겠지.'

인류 제국의 플레이어들이 강력한 힘을 얻었고 또 성장해 가고 있는 것은 사실이지만, 상황이 이렇게 되면 대규모 전쟁에서 적을 이겨 내는 것은 불가능하다.

즉.

'성을 끼고 싸워야 해.'

더 높은 등급을 가진, 더욱더 많은 수의 성이 필요하다. 풀 레벨의 부속 건물과 공성 오브젝트는 더 말할 필요도 없겠지.

"아."

그 사실을 떠올리자 절로 신음이 나온다.

"대체 얼마를 벌어야 하냐……."

매일 미친 듯 일하는데도 감당이 안 된다.

주식의 10배라는 돈 치트가 과금력의 존재로 무용이 되어 버렸으니 더욱 크게 다가왔다.

"아아…… 원래 성 구매는 길원들이 돈 모아서 하는 거야! 부속 건물 업글은 성에서 세금 모아서 하는 거고! 그걸 다 혼자 벌라는 게 말이 되냐!"

조종석에서 악악 소리를 지른다.

랜드웜이 짜증을 부렸다.

[아, 시끄러워.]

"미안……."

사과한 뒤 천천히 수인을 맺었다.

랜드 브레이커를 운기하고 전신에 힘을 준다.

"로그아웃."

그리고 지구로 돌아가 정면을 덮치는 시체 골렘의 목을 쳤다.

쩌저적! 쾅!

쏟아지는 냉기와 땅을 울리는 폭음.

"로그인."

아르데니아로 돌아와 파들파들 떨리는 손으로 포션을 마신다.

"아이고…… 죽겠다. 피로가 누적해서 쌓이니 송편을 먹고 포션을 마셔도 한계가 있네."

조종석에 눈을 감는다. 완전수면의 차크라 술식을 사용해도 정신적인 피로가 조금 가실 뿐 피로를 완전히 날릴 수는 없었다.

전신의 힘에 더불어 한계치의 내공을 단번에 쏟아 내는 랜드 브레이커를 무슨 노가다 삽질하듯 쏟아 내니 생체병기나 다름없는 육신에도 부하가 걸리는 것이다.

"한 번만 더 쓰고 한동안은 지구에 그만 가야겠다."

그렇게 다짐하며 차크라를 연다. 이것도 경험이라고 계속하다 보니 빙참격의 수인이 능숙해진다. 이제는 3초면 수인을 완성할 수 있을 정도.

그야말로 괄목상대(刮目相對), 일신우일신(日新又日新)이라 할 만한 성장이다.

실전에서 9초가 6초가 되고 다시 3초가 되는 차이는 그저 스킬을 한 번 쓸 걸 두 번 쓰는 그 정도의 차이가 아니다. 긴박한 전투 속에서 술식을 쓰느냐 못 쓰느냐 갈리는 막대한 차이.

'물론 나한테는 별 의미가 없지만.'

그렇다. 상관없는 문제다. 어차피 아르데니아에서 술식을 마치고 넘어가는 이상 몇 초 차이 따위는 아무런 의미도 없기 때문.

나는 랜드브레이커를 운기하고 전신 근육을 쥐어짰다.

"로그아웃."

그리고 검을 휘두르려 하자.

"옴짝달싹할 수 없도다! 다만 절망하고 있도다!"

사방에서 쏟아진 핏물이 온몸을 붙잡는다. 그뿐이 아니다.

"크아아아!"

시체 골렘이 내 몸을 붙잡는다. 녀석의 몸을 이루고 있는 시체들도 악을 쓰며 내 전신에 매달린다. 단번에 수톤에 달하는 부하가 온몸에 걸렸다.

"죽죽음음의의 일일격격!"

그리고 그렇게 움직임이 묶인 나를 향해 죽음의 기사가 검을 휘두른다. 검에 매달린 새까만 검기가 흉흉하다.

그리고 그 순간.

빙참격(氷斬擊)&랜드 브레이커(Land Breaker).

짝!

온몸을 휘감았던 핏물이 종잇장처럼 찢어진다.

파파팡!

전신에 매달렸던 시체들이 터지고 박살 나며 사방으로 튕겨 나간다.

나는 이미 휘두른 검을 중단으로 되돌리며 말했다.

"이 정도 무게로 날 묶을 순 없지."

쩌저저정!

부채꼴 모양으로 쓸려나갔던 몬스터들의 몸이 뒤늦게 얼어붙는다. 뒤에서 신음하는 소리가 들린다.

“와, 살벌하네, 진짜.”

“뭐야. 왜 벌써 나왔어?”

잠깐이지만 여유가 생긴 난 고개를 돌려 마차에서 나오고 있는 성재를 보았다. 나온 건 녀석뿐이 아니어서 혜영, 올리야, 레아 모두가 무장을 점검하고 영능을 활성화시키고 있다.

‘어라? 몸 상태들이…….’

거의 죽기 직전의 상태로 꽃마차에 들어갔던 녀석들의 상태가 아주 좋다. 창백했던 얼굴에는 혈색이 돌고 사경을 헤매야 했던 부상도 완벽하게 치유되어 있다.

올리야가 소리친다.

“선생! 그 송편 대체 뭐야? 효과 진짜 끝내줘! 나 완전히 회복되었잖아!”

‘아, 그러고 보니 올리야에게는 더 강하게 적용되었겠군. 원래부터 생명력보다 회복력이 높으니까.’

하지만 아무리 그래도 그렇지 모두의 상태가 너무 좋다. 송편에는 마나 회복력 증가 효과도 있으니 다른 녀석들도 효과를 보겠지만 겨우 이 정도 시간에 만전의 상태가 될 수 있단 말인가?

기막혀하는 내게 성재가 말한다.

"꽃마차에 시간 가속 기능이 있었어. 우린 충분히 쉬고 왔으니 너도 이제 들어가서 쉬어."

"괜찮겠어?"

내 걱정에 성재가 살짝 얼굴을 찡그린다.

"야. 네가 센 건 알지만 우리를 너무 호구로 보는 거 아니냐? 여기에 천재 아닌 사람 없으니 잔말 말고 들어가."

"그래 선생! 너무 걱정하지 마! 아까처럼 쉽게 퍼지진 않을 거야!"

"나름대로 작전을 세워 왔어요."

"재연 님이라면 괜찮으시겠지만, 그래도 좀 쉬십시오."

일행의 말에 잠시 고민한다. 솔직히 얼마든지 더 버틸 수 있다. 내 가장 강력한 강점은 800포인트가 넘는 근력도, 온갖 스킬의 보정도 아닌 로그인&로그아웃으로 인한 전투 지속력이기 때문이다.

'하지만 적당히 해야겠지.'

사실 이미 내 능력을 너무 많이 드러냈다. 아무리 내가 권능 보유자라는 콘셉트를 밀고 있다 하더라도 지나친 수준이었다.

"그래. 그럼 믿고 쉬도록 하지."

"아, 그리고 재연아."

"음?"

마차에 들어가려다 고개를 돌리자 온몸에 마력을 휘감은 성재가 말한다.

"송편…… 맞지?"

'역시 눈치챘군.'

쓴웃음이 나왔지만, 짐작 못 할 일도 아니다. 송편이야 어디에서나 볼 수 있는 흔한 물건이지만 거기에 회복력과 마나 회복력 증가 효과가 달려 있고 그게 또 4시간 동안 유지된다면 리벤지 고인물 성재가 그 정체를 모를 리 없다.

"나중에."

"아니…… 무슨 게임 마스터님 아들이라도 되세요? 아니면 조카?"

그의 말에 혜영이 멈칫한다.

"금수저도 아니고 신수저가 웬 말이냐, 하……."

투덜거림을 귓가로 흘려보내며 꽃마차에 들어온다.

"로그인."

그리고 아르데니아로 들어간다.

"좋아. 이번에는 지구에서 쉴 수 있겠네."

한참 더 빡빡하게 싸워야 할 줄 알았는데 여유가 생겼다. 아직 몬스터가 많은 상황이지만 호언장담하는 걸 보니 방법이 있긴 한 모양이다.

[재연.]

"아 그래. 혼잣말 적당히 할……."

[그게 아니라 그 여자가 왔다.]

"아, 그럼 올려 줘."

내 말에 랜드웜이 조용히 상승한다.

대지의 속성력을 이용한, 주변 땅에 조금의 진동도 일어나지 않는 고요한 움직임이다.

스르륵.

모래처럼 열리는 땅을 헤치고 지면에 올라선다. 랜드웜은 구멍을 메우고 조용히 잠겨 들었다. 빌딩만큼 큰 덩치로 움직이는데 이토록 조용하다는 건 녀석의 대지 속성력이 얼마나 섬세한지를 단적으로 드러내고 있다.

"폐하."

"그래. 사람들 상황은 어떻지?"

"예상대로 혼란스러워 하고 있습니다."

당연한 일이다. 플레이어가 아니더라도 월드 메시지는 볼 수 있고, 마인들의 우두머리인 염마왕이 죽었다는 정보가 퍼져 나갔으니 마인들에게 굴복했던 인간들이 어찌할 줄 모르고 있으리라.

"하지만 그런 것치고는 잠잠하군."

"마인들은 그대로 있으니까요."

내가 만약 염마왕의 헬모드 던전을 클리어하고 공성에 성공했다면 필드에 흩어져 있는 마인이 몽땅 사라졌을 것이다.

그러나 나는 그러지 않았고, 수백 킬로미터나 되는 거리 때문에 염마왕이 죽었다는 것만 알지 그 외의 정보를 알지 못하는 마인들은 명령받았던 대로 도시를 관리하는 모양이다.

'하지만 아무리 그래도 그렇지.'

나는 하모니가 넘겨 준 터번으로 얼굴을 가린 채 뒷골목을 가로질렀다.

별이 총총히 떠오르는 밤중이었지만 도시는 대낮처럼 환하다. 여기저기에서 타오르고 있는 불꽃 때문이다.

"자~ 자! 한 잔 더 먹자고!"

"빼지 말고 이리 와!"

"불꽃의 송별식이 한 시간 뒤에 있습니다!"

술을 마시는 사람들, 여자를 희롱하는 사람들, 바쁘게 소리치고 뛰어다니는 사람들이 보인다.

'뭐가 이렇게 평화로워?'

마인들에게 억류된 도시라고는 도저히 생각할 수 없는 분위기다. 오히려 활기차 보이기까지 한 모습.

"아뇨. 잘 보세요."

그저 터번을 두른 나와 달리 커다란 천으로 온몸을 가린 하모니의 말에 주변을 다시 살폈다.

그리고 깨닫는다.

'눈들이…… 죽어 있군.'

그렇다. 한껏 먹고 마시고 시끄럽게 떠들면서도 사람들의 눈이 죽어 있다. 슬쩍 시선을 돌리니 사람들 사이사이에서 시끄럽게 떠들고 있는 붉은 피부의 마인들과 활활 타는 몸으로 도시 곳곳에 서 있는 파이어 골렘. 그리고 으르렁거리며 도시를 돌아다니는 헬하운드들이 보인다.

앞서 걷는 하모니의 뒤로 따라붙자 그녀가 나직한 목소리로 설명했다.

"염마왕은 신성제국 남부를 모조리 정복하고 영역 안에 있던 모든 인간을 이곳으로 잡아넣었어요. 그리고 그 과정에서 조금이라도 반항하는 이들은 모두 태워 죽였습니다."

"많이 죽었겠군."

"네, 적어도 수십만 이상이 학살당했지요."

그러고도 100만이 남았다는 말. 나는 주변을 둘러보았다. 길이 빽빽하게 느껴질 정도로 수많은 사람이 보인다.

'중세 랜드랑 어울리지 않는 인구 밀집이다. 명 제국처럼 도시가 잘 조성된 것도, 거대한 곡창 지대를 끼고 있는 것도 아닌데.'

당연하지만, 이 비정상적인 도시를 만든 건 인간 스스로가 아니라 마인들이었으리라.

"마인들은 무한정의 술과 고기를 제공했어요. 인간들은 일할 필요도, 목숨을 걸고 싸울 필요도 없었지요."

"……공짜는 아닌 모양이네."

"네, 인간들은 마인들에게 불태워 죽일 제물을 바쳐야 했어요. 일주일에 500명씩. 인간들 스스로가 제물을 뽑아야 했죠."

사람들이 한곳으로 모인다.

용맥이나 영맥과는 거리가 먼 내지의 신생 도시. 이그니스의 중앙에 수많은 사람이 모여 있다.

'바글바글하군.'

온 도시의 사람이 모인 것은 아니다.

10만도 아니고 100만이 넘는 도시에서 그런 일은 불가능하겠지. 그러나 그렇다 하더라도 이 밤중에 이만한 숫자가 한자리에 모이다니.

그러나 사람이 이렇게 많더라도.

'일주일에 500명.'

하모니가 말한 제물의 수는 상식을 벗어난다.

[마지막 인사의 의미~♪ 당신은 저녁노을처럼~]

나는 평원 한가운데 마련되어 있는 단상에서 어떤 여인이 부르는 노래를 들으며 생각했다.

이건 그저 취향이라고 하기엔 너무나 체계적이고 많은 품이 드는 일이다.

'아마…… 인간을 제물로 바치는 것이 이 마인들을 강화하는 방법이었겠지.'

스페셜 보스들은 착점들을 정복해 무리의 숫자와 스스로의 역량을 상승시키는 한편, 온갖 방법으로 세력의 힘을 강화했다.

광신자 에드워드의 아이템 공장과 천인마수 양산.

세계수의 세계수 접붙이기 등이 바로 그것.

비록 난데없이 나타난 플라잉 엠퍼러에게 순살당하고 말았지만, 염마왕 역시 자신의 세력 전체를 강화하기 위해 이런 도시를 만들었다는 뜻이리라.

'몬스터들이 나름의 방식으로 현실에 적응하고 있어. 그나마 그들끼리 같은 편이 아니란 점이 불행 중 다행이지.'

"실례합니다."

"윽! 아, 밀지 마요!"

"아니, 무슨 힘이……?"

사람들을 슥슥 밀치며 단상으로 다가간다.

그 사이, 가수가 노래를 끝내고, 어떤 중년의 사내가 단상 위로 올라선다.

"또다시 작별의 시간이 되었습니다."

"흑흑흑!"

"고맙습니다! 감사합니다!"

"당신들의 희생을 잊지 않겠어요!"

사람들이 왁자지껄 목소리를 높인다.

그제야 단상 근처를 본 나는 재갈을 물고 손발이 포박된 수백 명의 사람을 발견할 수 있었다.

그들이 누구인지는 뻔하다.

'제물.'

중년의 사내가 말을 이었다.

"오늘은 희생에 대해 말해 볼까 합니다."

그 말을 시작으로 단상에 올라간 사내가 지루한 말을 늘어놓기 시작한다. 온갖 말장난. 변명. 자기합리화로 점철된 괴변.

그러나 반응이 아주 좋다.

"그렇습니다! 불꽃이여!"

"불꽃이여!"

"흑흑흑!"

시끌시끌한 분위기를 잠시 살피다 묻는다.

"불꽃이여는 또 뭐지?"

"빛이여. 라는 기도를 변형시킨 것입니다. 염마왕의 명령을 그 앞잡이들이 따르고 있지요. 종교인이라는 것들이……."

그렇게 대화를 나누며 이동한다. 우리는 커다란 단상을 돌아 그 뒤편으로 접근하고 있었는데 어느 순간 한 꼬맹이가 내 앞을 막아선다.

"멈춰! 이곳은 추기경님의 송별식에 진행되고 있다. 함부로 접근하면……."

"뭐지?"

꼬마를 보고 멈칫한다. 150센티도 안 되는 남자아이가 등에 메고 있는 검 때문이 아니다. 녀석이 반짝이는 금발에 잡지 화보를 찍어도 될 듯한 외모를 가지고 있어서는 더더욱 아니다.

'어? 이 녀석…… 어디서 봤던 거 같은데.'

원래는 무시하고 지나가야 하는데 강력한 기시감에 그럴 수 없었다.

"뭐지? 뭐지라고? 날 몰라보다니 외부에서 온 모양인데……."

그때 하모니가 앞으로 나선다.

"나야."

"……!"

하모니가 얼굴을 가리고 있던 천을 걷자 꼬맹이 녀석의 얼굴이 딱딱하게 굳는다.

"누…… 나?"

녀석이 믿을 수 없다는 표정으로 하모니를 바라보더니, 그대로 와락 하고 그녀를 껴안는다.

"누나…… 누나……! 살아 있었구나! 나, 난 누나가 죽은 줄 알고…… 으흑. 으흐흑……."

울음을 터트린다. 나는 아직까지도 생각에 잠겨 있었다.

'어디서 봤었지? 중요한 사람이었던 것 같은데. 아니 애초에 이렇게 생긴 꼬맹이를 내가 보고 잊을 수가 있나?'

떠오르지 않는 기억에 괴로워하고 있을 때였다.

"너는 잘 지내고 있었어, 에드워드?"

"……!"

멈칫한다. 나는 에드워드의 어깨를 와락 당겼다.

"윽! 너 뭐하는 짓이야! 혼나 볼래!?"

녀석이 발끈했지만 나는 그저 녀석의 얼굴을 멍하니 보고 있을 뿐이었다.

'이럴 수가.'

그렇다. 녀석이었다.

우변화점의 스페셜보스.

광신자, 에드워드.

기본적으로.

몬스터는 이계에서 넘어온 인외(人外)의 존재다. 아르데니아에는 존재하지 않던 오크나 고블린 같은 그린 스킨부터 오우거, 사이클롭스, 자이언트 같은 거인족, 아이스 엘리멘탈, 파이어 엘리멘탈 등의 정령들까지.

이세계에서 넘어온 침략자들이 평화롭던 아르데니아를 공격했다는 것이 리벤지의 콘셉트였다.

물론 몬스터 전부가 이계의 존재인 것은 아니다.

'영웅급 주제에 영역을 넓혀 가고 있는 브라이트 반란군도 그렇지.'

리벤지의 배경 설정에서 플레이어를 적대하는 세력은 다 몬스터다.

도적단이 된 생존자 집단, 이계의 몬스터들에게 빌붙어 세력을 형성한 귀족, 흡혈인자에 전염되어 인간을 찾아다니는 흡혈귀까지.

그리고 무엇보다 녀석이 있다.

광신자 에드워드.

'그 원본이 아르데니아에 있을 거라고 생각은 했는데, 설마 이런 식으로 만나게 될 줄이야.'

에드워드는 스페셜 보스 중 유일한 인간이다.

얼음 여왕이 그나마 인간 출신이긴 하지만 아르데니아로 넘어왔을 땐 이미 인간이 아니었으니 전혀 다른 경우.

즉, 관점을 달리하면 이 에드워드라는 녀석은.

'신화 확정 캐릭터…….'

물론 녀석이 정말 초월자가 된다는 보장은 없다. 녀석이 초월자가 될 수 있었던 게 녀석을 광신자(狂信者)라고 부르게 한 외신(外神)의 존재 때문일 수도, 오랜 세월에 걸친 광신이 정신에 영향을 끼쳐서일 수도 있으니까.

그러나 그렇다 하더라도…… 녀석의 재능이 비범하리라는 사실은 두말해 입 아픈 일이리라.

"뭐야? 너 뭔데 날 그렇게 봐?"

에드워드가 눈을 부라린다. 제 누나를 보고는 펑펑 울던 밤톨 같은 놈이 그러는 꼴을 보니 어이가 없다.

"예의를 지켜, 에드워드. 내가 널 그렇게 가르쳤니?"

"엣! 아, 아니 난."

"칼을 차고 거들먹거리다 보니 양아치라도 된 거야? 당장 사과드려."

하모니의 말에 에드워드가 할 말이 많다는 듯 어물거렸

지만, 그녀의 엄한 눈을 보더니 내게 고개를 숙였다.

"죄, 죄송합니다."

'재밌는 녀석이군.'

여러모로 특이하긴 하다. 어린애를 [인간이 덜된 존재]로 여기는 중세랜드에서, 고작 중학생 정도로 보이는 외향의 그가 검을 들고 경비를 서고 있는 것도 그렇고 천둥벌거숭이 같은 기질에도 불구하고 누나에게 꼼짝 못 하는 모습은 더욱 그렇다.

"우리는! 위대한 신성제국은 살아남아야 합니다! 이겨내야 할 것입니다! 저 가련한 프리마돈나 하모니가 스스로 희생함으로써 우리에게 물려준 유산을 지키고 키워나가야 합니다!"

단상에 선 중년 사내가 울부짖듯 소리친다. 단상에 뭔가 마법적 장치가 되어 있는 듯 그 목소리가 널리 퍼진다.

"아! 그러고 보니 누나. 어째서 자원한 거야? 나한테 말도 없이!"

"안 했어."

"……뭐?"

느닷없는 말에 에드워드의 얼굴이 굳는다. 하모니가 차가운 목소리로 말했다.

"그냥 저자가 나를 제물로 바친 거지."

"……!"

에드워드의 얼굴이 창백해진다.

동생의 모습을 똑바로 바라보며 하모니가 말했다.

"추기경은 염마왕과 대적할 생각이 없어. 성자와 성녀님도 그의 밀고로 습격을 당했지."

"……아, 아냐. 그럴 리 없어. 알잖아? 추기경님은 우리의 부모님과도 같은……."

"에드워드."

하모니가 슬픈 표정을 지었다. 그녀의 커다란 눈동자와 축 처지는 눈초리는 말을 건네는 것이나 다름없는 전달력을 가지고 있다.

"나를 못 믿는 거야?"

"……."

에드워드는 한참이나 대답하지 못하고 서 있었다. 그의 표정이 짧은 순간에도 몇 번이나 변한다.

그러다 결국.

"……아니. 난 누나를 믿어."

"고마워, 에드워드. 역시 너뿐이야."

그렇게 말하며 에드워드를 껴안는다.

잠시간의 포옹을 마치고 그녀가 나를 돌아보았다.

"황제 폐하."

"황제!?"

에드워드가 깜짝 놀랐지만, 하모니는 무시하고 말했다.

"에드워드는 그리 똑똑한 녀석이 아닙니다. 밤을 새워 책을 읽어도 다음 날이면 전부 까먹고 말지요."

"누, 누나! 무슨 말을 하는 거야!"

"또, 고집불통입니다. 힘들게 하나를 배우면 전부인 줄 알지요. 머리 나쁜 고집불통이니 성격이 폭급해 세상에 큰 피해를 끼치고 만인에게 지탄 받을 기질입니다."

"아, 제발. 누나……."

에드워드가 하모니의 팔을 잡고 쩔쩔맨다. 그러나 그녀는 고개조차 돌리지 않는다. 차분한 표정으로 나만을 바라본다.

"하지만."

그녀가 말했다.

"녀석의 자질은 가히 하늘이 내린 수준입니다. 폐하의 아래 백만이 있다면 그 맨 앞에 이 녀석이 있을 것이고, 천만이 있더라도 그 앞에는 이 녀석이 있을 것입니다. 비록 용렬하고 어리석은 고집불통이지만, 그렇기에 충성을 맹세하면 결코 다른 생각을 하지 않을 것입니다."

그렇게 말한 하모니가 내 앞에 무릎을 꿇었다. 에드워드가 그 모습에 기겁했다.

"누나……!?"

"부디, 녀석을 거두어 주십시오."

단상 위에서는 여전히 추기경이라는 녀석이 떠들고 있었기에, 또 사람들이 그의 말에 열광적으로 호응하고 있었기에 주변에서 우리의 대화를 들은 사람은 없었지만, 아무리 그래도 무릎까지 꿇는 모습에는 여기저기에서 시선이 모인다.

나는 무릎 꿇은 하모니와 어쩔 줄 몰라 하다 나란히 무릎 꿇는 에드워드를 보았다. 당황스러움은 전혀 없다.

'개꿀.'

그야말로 호박이 넝쿨째로 굴러 온 격이다.

"최강은 될 수 없을 것이다. 내가 있으니."

나는 손을 뻗어 하모니를 일으켜 세웠다.

"하지만 노력 여하에 따라 바로 그 아래까지는 갈 수 있을지도 모르지."

"감사합니다!"

하모니가 환하게 웃으며 옷에 묻은 흙을 털었다. 에드워드는 여전히 정신을 못 차리는 모양새다.

"아니, 누나. 설명 좀 해 줘. 황제는 뭐고 거둔다는 건 무슨 말이야."

"내 말 들어. 누나가 너한테 피해 갈 일을 시킨 적 있니?"

"그, 그건 그렇지만……."

하모니의 눈썹이 꿈틀한다.

"만?"

"아, 아니 맞아."

한 음절로 에드워드를 침묵시킨 하모니는 다시 천으로

얼굴을 가린 뒤 단상에서 내려가는 추기경의 모습을 일견하고 말했다.

"그럼 미리 말씀드렸던 대로 움직이겠습니다. 폐하의 앞이니 더 힘을 내어 보겠습니다."

"기대하지."

내 말에 하모니가 단상으로 향한다. 이제 막 단상으로 올라가고 있던 무희들은 그녀의 목소리를 듣자 깜짝 놀라더니 차례를 양보한다.

'신기하군. 상당한 명망을 가진 듯해.'

아무래도 단순한 배우가 아니라 귀족 출신일지도 모른다. 그녀의 말투, 행동에서 놀라울 정도의 기품과 정치적 식견이 보인다.

'나도 계획대로 해야겠군.'

내가 기습적으로 마인들을 덮치는 대신 사람들 한복판으로 들어온 것은 난민들의 분위기를 살피기 위해서이기도 하지만, 이들 중에 염마왕에 대항하는 무력 단체가 있다는 이야기를 들었기 때문이다.

[성녀님께서 만든 단체입니다. 그 이름은 복수(revenge).]

"하. 여기서 리벤지가 튀어나올지는 몰랐지."

아마 그 성녀는 자기 희생 주문으로 인류를 최후의 피난처로 보낸 장본인일 것이다. 리벤지를 처음 실행했을 때 인트로 영상으로 등장했던 존재.

'스킵해서 얼굴은 모르지만서도…… 에드워드 같은 경우가 생길지 모르니 동영상들을 다 찾아서 봐 놔야겠다.'

그렇게 생각하고 있을 때였다.

[내가 죽기를 기다리지 마세요.
죽은 나를 기릴 준비 아직 이르지 않을까.]

"어?"

멈칫한다. 단 몇 마디의 말에 온갖 계획으로 복잡하던 머릿속이 고요해진다.

[나를 장작으로 쓸 생각 마세요.
내 위에 누군가 불을 붙여,
당신들의 욕심 태울 생각은 말아.]

수천, 아니 수만. 아니, 어쩌면 그 이상의 사람들이 그녀에게 집중했다. 놀랍게도 그녀의 목소리는 단상에 설치된 마법 이상의 영역으로 퍼져 나갔다.

[나는 살아 있다 죽지 않으려 이렇게,
애써서 살아 있어.]

"흠."

나는 귀환 주문서를 다시 인벤토리에 넣었다. 그리고 가만히 서서 노래를 들었다.

초라한 무대다.

MR도, 조명도 없고, 댄스 팀이나 그녀를 꾸며 주는 그 어떤 장치도 없는 단상.

[나는 살아 있다 죽지 않으려 이렇게,
단단히 살아 있어.]

그러나 그럼에도 그녀의 목소리에는 호소력이 있었다.

"흔히 말하는 아우라가 있군…… 이 정도면 탑급 가수 정도는 되려나. 영감(靈感)이 없으니 통 모르겠네."

그러나 영감이 없어도 노래 감상은 할 수 있다. 여기 모인 수많은 사람 중 이능력자가 거의 없음에도 다들 홀린 듯 단상을 바라보는 것이 바로 그 증거.

그러나 그 무대가 마음에 들지 않는 이도 있었다.

"그만! 그만 그만! 뭐 하는 거야! 오늘같이 중요한 날에 왜 이리 우울한 노래를 하는 거지?"

어떤 사내가 소리를 지르며 단상 위로 뛰어오른다. 자세히 보니 추기경의 옆에서 그를 보좌하던 건장한 체구의 성전사였다.

그가 나타난 방향을 돌아보니, 다수의 사람들에게 둘러

싸인 추기경이 불쾌한 표정을 짓고 있는 모습이 보인다.

"너 누구야! 애초에 지금 차례의 가수는 네가 아니잖아! 뭔데 이 중요한 무대를 망치는 거야? 장작이라니! 욕심을 태우다니 참으로 참람(僭濫)한 소리로다!"

악을 쓰며 하모니에게 접근한다.

"얼굴은 뭘 이렇게 뒤집어쓰고……."

후드가 벗겨지고 하모니의 얼굴이 그대로 드러난다. 악을 쓰던 사내가 그대로 굳어 버린다.

"아, 아니 넌……."

"하모니! 하모니다!"

"하모니가 살아 있었어!"

"하지만 추기경께서…… 설마 거짓말이었다는 거야?"

소란이 일었다. 당황하던 추기경이 소리친다.

"압둘! 뭘 멍하니 있어!"

"아, 네, 넵!"

무대에 올라왔던 건장한 사내가 그대로 하모니의 팔을 잡는다.

"이리 와!"

"읏!"

노래에 관련된 초능을 가졌다고 짐작되지만, 그 외의 능력은 전혀 없는 하모니가 휘청거리며 끌려간다.

"이 새끼가 뭐 하는 짓이야!?"

퍽!

묵직한 소리와 함께 사내가 쓰러진다. 어느새 단상 위로 튀어 나간 에드워드의 발길질에 당한 것이다.

'이미 오러를 깨우쳤군.'

고작 중학생에 불과한 외모와 덩치를 가진 녀석이 저 건장한 사내를 압도한다는 건 누가 봐도 이상한 일.

그러나 녀석의 얼굴은 이미 유명한 듯 건장한 사내가 바짝 쫄아 물러난다. 자신의 상대가 아니라는 사실을 아는 것. 그리고 그 모습에 추기경이 소리친다.

"에드워드!"

"어따 대고 소리를 질러!? 너! 네가 우리 누나를 제물로 바쳤다면서!?"

'불과 십여 분 전만 해도 부모 같은 존재라고 하더니.'

내가 어이없어하거나 말거나 에드워드의 일갈에 추기경의 얼굴이 수치로 물든다. 그는 잠시 변명의 말을 꺼내려는 듯 입을 열었지만.

"추기경님께서 하모니 님을 제물로 바쳤다고?"

"그래 놓고 와서 그런 연설들을 했단 말이야?"

혼란이 점점 커지는 모습을 보며 추기경이 입을 다물었다. 상황이 급박하다고 판단한 듯 그 표정에 악독함이 깃든다.

그는 잠시 망설이다가 옆에 있던 사내에게 공손한 태도로 말했다.

"비르그나 님."

"크크! 실망이야, 추기경. 그렇게 큰소리치더니 제물들을 제대로 통제하지조차 못하다니."

가만히 앉아 있던 사내가 몸을 일으킨다. 처음엔 평범한 사람처럼 보였던 그는, 다 일어났을 때 3미터에 가까운 키와 새빨간 피부를 가진 마인으로 변해 있었다.

[모두--- 조용!]

울려 퍼지는 포효에 시끄럽던 평원이 단숨에 침묵에 물든다.

"아, 씨발……."

녀석의 정체를 아는 듯 욕설을 내뱉는 에드워드의 목소리에 절망이 깃들었다. 하기야 그럴 만하다.

염마인 격투가(영웅)

비르그나

'영웅급이라.'

원래 불의 마궁(고급~영웅)에서 영웅급 몬스터는 보스인 염마왕 하나뿐이어야 한다. 중앙의 천원을 제외한 8개의 화점은 틀림없이 중요한 요지(要地)이지만, 그래 봐야 초~중 레벨 존에 불과하기 때문이다.

'이게 바로 세물의 힘이군. 몬스터의 등급을 올린다.'

무한정의 제물이 주어진다면 염마왕의 등급도 끝없이 올려 줄 수 있다는 말이기도 하다. 어쩌면 신화 등급의 잿더미의 지배자 염마왕이 바로 그런 배경 설정을 가진 존재일지도 모른다.

"어이."

"큭큭큭! 이 제물 놈들이…… 뭐냐, 넌."

녀석을 향해 성큼성큼 걸어간다. 비르그나가 코웃음을 치며 손을 내뻗는다.

턱.

손과 손을 맞잡는 순간, 권태로워 보이던 녀석의 얼굴이 급변한다.

한 번 말했듯.

힘쓰는 사람들은 서로 손만 잡아 봐도 안다.

"이, 이익…… 으윽……?"

이미 붉은 피부가 까매질 정도로 용을 쓰지만 어림도 없다. 녀석과 내 덩치 차이는 어른과 아이를 보는 것 같겠지만, 근력의 차이는 반대다.

'아니 반대 정도도 아니지.'

어른과 아이 정도가 아니라 인간과 생쥐 이상의 근력 차이. 녀석은 힘의 방향을 바꿔 날 들어 올리려고 했지만, 랜드 브레이커의 힘으로 땅에 뿌리박은 날 어쩌지는 못했다.

뿌드득!

"크아악!?"

비르그나의 손이 우그러진다. 녀석이 비명을 지르며 팔을 빼려고 했지만 어림없는 소리.

"이, 벌레 같은! 인간……!"

화아악!

녀석의 몸에서 불꽃이 터져 나온다.

"꺄악!?"

"으아악! 물러나!"

사방에서 난리를 피운다. 그러나 상관없는 일이다.

"너, 너, 어떻게……?"

쏟아지는 폭염에도 머리칼 하나 그을리지 않는 내 모습에 비르그나가 신음한다. 나는 대답해 주었다.

"전설 악세는 가격대 때문에 싹 삭제했지만 희귀 악세는 아니거든."

[불꽃 수호의 반지(희귀)+9]를 보여 주었지만, 당연히 녀석은 그 말을 이해하지 못했다.

"그게 무."

어떻게든 더 말을 걸려 드는 녀석을 확 끌어당긴다. 거대한 몸이 강제로 무릎 꿇려지며 내 앞에 끌려온다.

나는 그제야 눈높이가 맞춰진 녀석에게 손을 뻗어.

우드득!

그대로 목을 꺾어 버렸다.

"아……!"

"이럴 수가……."

경악하는 사람들.

'좋아. 이대로 적당히 무게 실린 대사를…….'

그렇게 생각하고 있을 때였다.

[메마른 사막지대에서 한재연 님께서 플레임 캐논(영웅)을 획득하셨습니다!]

느닷없는 월드 메시지에 연기를 이어 갈 생각도 못 하고 인벤토리부터 열었다.

"아니, 설마 여기서 영웅 스킬북이!?"

"……."

"……."

"……."

기뻐하는 내 모습을, 수많은 사람이 멍한 표정으로 지켜보고 있었다.

'앗, 이런.'

즉시 내 실수를 깨달았지만, 어쩔 수 없는 일이었다. 영웅급 스킬 북. 그것도 마법사용 액티브 스킬의 가치가 너무나 높기 때문이다.

키우는 데 너무나 오랜 시간이 걸리는 것이 마법사라는 직종.

그러나 마법사용 영웅급 액티브 스킬북이 있으면 플레

이어는 단번에 5클래스 마법을 뿜어내는 포대로 변한다. 성을 끼고 싸우는 수성전에 어마어마한 화력이 추가되는 것이다.

'염마왕 포함, 만 단위를 잡았을 때도 안 나온 게 이렇게 갑자기 튀어나올 줄이야…… 성이 영웅급밖에 안 돼서 수성이 힘들 깃발 연대에 전달해야겠다.'

그렇게 생각을 정리하고 사람들을 둘러본다. 어느새 내 옆으로 다가온 하모니가 말한다.

"인류 제국의 황제, 한재연 님이십니다. 홀로 염마왕과 그 수하들을 살해하고 제물로 바쳐졌던 절 구해 주셨지요."

나직한 목소리에 사람들이 술렁거린다.

"염마왕이 정말 죽었다고? 그 허공에 떠오른 신언이 정말이란 말이야?"

"하지만 정말이라면……."

"인류 제국이라면, 북방에 있다는 신생 국가 아냐? 인간들이 괴물들을 다 밀어내고 번성하고 있다던데."

물론 모든 사람이 그 말을 믿은 것은 아니었다.

"있을 수 없어! 불꽃의 화신이나 다름없는 그 괴물을, 인간이?"

"정신 차려! 마인들은 인간이 이길 수 있는 상대가 아니야! 백색기사단과 병사들이 다 몰살당했던 걸 보고도 정신을 못 차리나?"

"그리고 마인들은 설사 죽는다고 해도 일정 시간이 흐르면 부활하네! 염마왕 또한 마찬가지일 거야!"

평원이 소란스러워진다.

여기저기에서 언성이 높아지고 심지어 다투는 사람까지 생긴다.

물론, 그 시간은 길지 않았다.

화륵!

"꺄악! 치안대! 치안대야!"

"모두 피해!"

불꽃이 솟구치더니 평원 바깥쪽에서 몬스터들이 몰려온다. 헬하운드, 대형 임프, 파이어 골렘, 그리고 그 모두를 합친 것보다 많은 마인들.

그들이 불꽃을 뿜으며 밀려오자 사람들이 사방으로 흩어졌다.

"오랜만에…… 던져 볼까나."

인벤토리에서 뼈 장검을 꺼냈다.

그리고 투척 자세를 취하자 몬스터들 맨 앞에 서 있던 마인이 커다란 방패를 들고 나를 비웃었다.

"멍청한 놈! 그렇게 대놓고 던지는 공격에 누가 당하겠느냐!? 감히 어떤 수로 비르그나 님을 해쳤는지는 모르겠지만 우리가……."

그리고 그대로 던진다.

뻐엉!

공기가 터져 나간다. 빛살처럼 쏘아진 뼈 장검이 녀석을 방패째로 부수고 그 뒤에 있는 수십의 몬스터를 휩쓸었다.

절로 웃음이 나왔다.

"대사가 너무 길어."

영웅급 하나 없는 잡졸들이 건방 떠는 꼴은 못 보겠다.

"지금이다! 덮쳐!"

"해치워라!"

그런데 그때 인간들 측에서도 공격이 시작되었다. 내 앞으로 몰려들던 몬스터들이 아니라 인간들 사이에 섞여 있던 몬스터들을 기습한 것!

일반인과 몬스터 사이의 역량 차이는 명확하지만 내게 정신이 팔린 틈에 심장이나 머리를 노리고 날아드는 공격에는 별다른 수가 없었다.

심지어 인간의 모습을 취하고 있던 마인들도 파악하고 있다 처단하는 모양새다.

"복수하라! 사악한 악마들에게 신의 심판이 뭔지 보여라!"

"와아아!"

불과 10여 분 전만 해도 공연장이던 평원이 단숨에 전장이 되었다.

어디에 숨기고 있었는지 모를 무기로 사람들이 몬스터를 해치운다.

물론 몬스터들 역시 마냥 당하고만 있지 않았다.

"제물로도 못 쓸 버러지들이!"

"불태워 주마!"

"으르르…… 컹컹!"

기습으로 큰 피해를 보았지만, 여전히 인간보다 강력한 몬스터들이 인간을 공격한다.

"악! 저, 저희는 염마왕님 편입니다! 공격하지 마세요!"

"멍청한 배신자 놈들을 밀어내!"

"추기경! 이 배교자가!"

모래 위로 피가 뿌려지고 여기저기에서 비명이 난무한다. 급박하게 변한 상황에 절로 한숨이 흘러나온다.

"개판이구먼."

가만히 있으면 내가 다 알아서 했을 텐데. 아무리 황제니 뭐니 해도 혼자서 뭘 할 수 있을 거라고는 기대할 수 없었던 모양이다.

"누나! 여긴 위험해! 어서 빠져나가자!"

"에드워드, 여기가 가장 안전한 곳이란다."

"아니, 무슨 소리를 하는 거야!? 저놈들 몰려오는 거 안 보여!?"

에드워드가 나를 노리고 우르르 몰려오는 몬스터들을 가리킨다. 수백 마리가 훌쩍 넘는, 고급에서 희귀 등급의 몬스터들.

나는 주변을 둘러보았다. 지금, 이 순간에도 피가 쏟아지고 있다. 여기에 내가 참가해 몬스터를 쓸어버리는 것도 방법이겠지만…… 그 과정에서 너무나 큰 피해가 누적될 것이다.

"일단 싸움을 멈춰야겠군."

"저기 황제 씨? 이 상황에 무슨."

에드워드가 황당해하거나 말거나, 땅을 두드린다.

"올라와."

마치 환상처럼, 내게 몰려들던 몬스터들의 발밑이 갈라진다.

쿠콰콰콰쾅!

"키엑!?"

"으아아--!?"

수백의 몬스터가 바둑알처럼 튕겨 나가고 그 아래에서 마치 거대한 기둥처럼 보이는 것이 하늘까지 솟구친다.

기어 다니는 빌딩, 산만큼 크지는 않아도 산에 기대 누울 수 있는 사이즈의 괴물.

랜드웜이 그 거대한 머리를 하늘로 쳐들고 네 갈래로 나뉘는 입을 쩍 하고 벌렸다.

[----!]

포효인지 뭔지도 모를 음파의 파도가 주변을 뒤흔든다.

“…….”

“아, 아니…….”

“말도 안 돼…….”

고성과 비명이 난무하던 평원이 단숨에 침묵에 잠긴다. 너무도 엄청난 랜드웜의 존재감은, 분노 조절 장애든 정신병자든 감히 대항할 생각을 포기하게 만들기 충분했다.

풍차에 기마 돌격을 했다는 돈키호테도 감히 랜드웜에게 달려들지는 못할 것이다.

“아, 정말…… 다시 봐도 믿기지 않는 크기네요.”

“누, 누, 누나. 이 괴물은 뭐야?”

“어머. 우리 에드워드 겁먹었구나?”

“누가! 누가 겁먹었다고 그래…….”

쪼그라드는 에드워드.

그리고 그때였다.

화르륵!

여기저기에서 불꽃이 솟구친다. 돌아보니 몬스터들이 사람들 사이에 섞여 고래고래 소리 지르는 모습이 보인다.

“허, 허튼 수작 부리면 여기 이 인간 놈들을 모조리 불태워 버리겠다!”

“오, 인간형이라고 인간다운 짓을 하네.”

나는 당황하지 않았다. 처음부터 예상하던 문제이기 때

문이다.

팟!

귀환 주문서를 찢자 불의 마궁에 도착한다. 이그니션에 도착하기 전 들려서 던전의 헬 난이도를 공략해 놓았기에 가능한 일이었다.

"녀석이 왔다!"

"저 괴물……!"

"염마왕님의 복수를……!"

성에 도착하자 영주성 주위에 모여 있는 몬스터들이 보인다. 염마왕은 없다. 얼음 여왕이 그랬듯 함정이라도 파면 입지 않아도 될 피해를 감당해야 하기에 던전을 클리어한 직후 죽여 놓았다.

"복수는 무슨, 누가 보면 선량한 몬스터를 괴롭히는 못된 플레이어인 줄 알겠다."

꽤 기세등등했지만 애초에 한 번 쓸어버리고 남은 자투리.

단숨에 밀어 버리고 옥좌에 앉는다.

[한재연 님이 옥좌에 각인을 시도 중입니다!]

[축하합니다! 한 길드가 불의 마궁을 점령했습니다!]

[새로운 성주. 한재연.]

모든 작업을 마치고 텔레포트 스크롤을 찢는다. 입력된

좌표는 당연히 임시 도시 이그니션.

내가 공성을 마치고 이그니션에 돌아오기까지 걸린 시간은 고작 10분에 불과하다.

"마, 마인들이 다 사라졌어!"

"공성전에 성공했다는 게 무슨 말이야?"

"이게…… 뭐가 어떻게 흘러가는 거지……."

이그니션에 돌아오니 혼란에 빠진 사람들이 보인다.

물론 모두가 그런 것은 아니다.

"배교자! 인류의 배신자! 네놈 때문에 내 동생이 죽었어!"

"앞잡이 놈들을 붙잡아! 지금까지 떵떵거릴 때는 좋았지!?"

몬스터에게 빌붙어 인간을 억압하던 이들이 몰매를 맞는 모습이 보인다.

굳이 신경 쓰지 않았다. 결국, 내 힘으로 해방한 셈이지만, 이들은 지금까지 다른 난민들과는 경우가 다르기 때문이다.

'일단 식량이 충분해.'

염마왕 놈이 공장을 돌려 도시에 배급한 헬하운드 고기가 산처럼 쌓여 있다.

물론 언젠가는 떨어지겠지만, 내가 지금 뒷다리를 준다고 감격할 그런 상황은 아니다.

'그리고 이곳은…… 인류 제국과 너무 멀다.'

현재 신성제국의 난민들이 모여 있는 이그니션은 A-1과 B-1사이의 내지. 즉, 좌하귀의 가장 구석진 부분이다. 바둑판의 밑줄에 근접한 위치이니 인류 제국 입장에서는 그야말로 대륙 반대쪽.

농담이 아니라 수천 킬로미터나 떨어진 곳이니 제국의 물자를 전달하기도, 그들을 제국으로 데려가기도 불가능에 가깝다.

'귀환 주문서를 쓰면 가능하겠지만…… 그건 천 단위에서나 가능한 일이지 100만은 오버야.'

물론, 그렇다고 내가 한 이 모든 행동이 삘 짓이라는 건 당연히 아니다.

이 모든 상황은 이곳에 오기 전부터 알고 있던 일이니까.

"들어라!"

후웅-!

내 말과 동시에 랜드웜이 훅 몸을 움직였다. 녀석이 몸을 트는 것만으로도 주위에 돌풍이 불었다.

"으아악!"

"우, 우, 움직인다! 움직여!"

"신이시여……!"

자지러지는 사람들. 나는 어이가 없어 물었다.

"아니, 왜 갑자기 사람들을 겁주고 그래?"

[요새 느끼는 건데…….]

랜드웜이 답했다.

[나…… 저 반응이…… 좀 재미있는 것 같아…… 이상하지? 예전에는 저것들이 잘 보이지도 않았는데…….]

"……."

랜드웜 녀석이 위험한 감정에 눈떴다.

"흠. 흠. 그, 그래도 지금은 자제해 줘. 할 말이 있어서."

[너무 지루하면 또 할 거야.]

"아니, 무슨 애도 아니고……."

미운 다섯 살처럼 행동하는 녀석 때문에 머리가 아파왔지만 진정하고 말을 시작했다.

"나는 염마왕을 처치하고 그들의 본거지를 정복했다! 이로써 모든 마인들이 사라졌지만, 그렇기에 마인들에게 정복당했던 괴물들은 다시 살아날 것이다!"

이후 내가 그들에게 알려 준 내용은 이와 같다.

1. 남서쪽에 빛기둥이 있다. 그곳은 잠시 후 성으로 변할 것이고 그 안에 마르지 않는 분수와 집들이 있을 것이다.

2. 성의 중앙에 있는 던전에 들어가면 식량을 드랍하는 대형 이구아나(일반)가 있다.

3. 염마왕이 거주하던 장소를 인류 제국이 차지할 것이다. 만일 그곳으로 찾아와 망명을 신청한다면 적당한 심

사 후 받아들이겠다.

바로 항변이 들어온다.
“하지만! 검은 진주는 신성제국 소유의 용맥이오!”
검은 진주는 불의 마궁. 지금은 불꽃성이라 이름 붙인 지역의 원래 이름.
나는 고개를 항의하는 사내를 바라보았다.
“그래? 참 이상하군. 나는 염마왕에게서 그것을 빼앗았는데. 그곳에서 신성제국의 군대는 본 적이 없어.”
“하, 하지만 원칙적으로…….”
가볍게 끊는다. 길게 이어갈 가치도 없는 말이다.
“참 염치도 없는 원칙이군.”
“…….”
내 말에 사내가 분노한 듯 얼굴을 붉혔지만 더 따지지 못했다.
이곳은 중세랜드.
힘만 있다면 멀쩡히 유지되고 있는 도시도 먹고 먹히는 난세에 구함을 받고도 권리를 주장하는 데에는 한계가 있다.
‘뭐, 억지를 못 부릴 것도 없는 문제긴 하지.’
그래. 어차피 억지야 부리는 놈 마음 아닌가? 부리려면 얼마든지 부릴 수 있을 것이다.
내 뒤에 빌딩만 한 크기의 랜드웜이 없다면 그랬을 것

이다.

"전쟁은 끝나지 않았소. 염마왕은 죽었지만, 염마왕에게 밀려났던, 혹은 염마왕보다 더욱 강한 몬스터들이 계속해서 몰려오겠지."

"전쟁을……. 준비해야 한단 말이오?"

"그렇지 않으면 생존하지 못할 테니까."

나는 이 100만 명의 인구를 당장 인류제국에 편입시키지 않았다. 물리적으로 많은 문제가 발생할 게 뻔하기 때문이다.

'대신 이들 중 일부를 뽑아 불꽃성을 지키는 데 쓸 수 있다.'

그게 내 결론이다. 이들을 굳이 인류제국으로 데려가는 대신, 이들 스스로 자신의 목표를 위해 이 근방을 지키도록 만들 생각이었다.

"하모니."

"네, 폐하. 다 모아왔습니다."

내 부름에 하모니가 앞으로 나선다. 어느새 그녀의 뒤에는 수백 명의 인파가 모여 있었다.

"하모니 양! 지금 뭐하는 겁니까?"

무기를 들고 있는 사내들이 발끈해 소리친다. 그 기세가 제법 흉흉하지만, 그래 봤자 하모니는 그녀는 고개조차 돌리지 않는다.

"황제 폐하께서 저를 구하셨을 때부터 그분을 따르기

로 했습니다."

"지금 혼자 움직이는 게 아니지 않소!"

"난세에 도움도 안 되는 밥버러지 아닙니까? 직접 한 말이실 텐데."

"익……!"

소리쳤던 사내의 얼굴이 시뻘게졌지만, 감히 내 앞에서 난동을 피우지는 못했다.

혹 그랬다면 랜드웜 머리에 한 번 올려 줄 생각이었는데 아쉽게 되었다.

어쨌든 사람들을 이끌고 온 하모니가 말한다.

"그레이트 홀의 배우 41명. 악단 81명. 11명의 작가와 그의 가족 친지들입니다. 받아 주신다면 최고의 작품. 최고의 무대를 폐하께 바치겠습니다."

"그래."

나는 품에서 수백 장의 귀환서를 꺼내며 말했다.

"오직 그것만이 내가 바라는 것이다."

천군만마보다 더욱 가치 있는 인재들이 내 손에 들어오는 순간이었다.

그 이후의 과정에는 아무런 어려움이 없었다.

나는 A-1 착점에 생겨난 던전을 클리어하고 공성전까지 완료. 그 자리에 고급 등급의 성을 지어 줬다. 솔직히 말하면 거기에 들어간 50만 원도 아까웠지만 미래를 향한 투자라고 생각해 참았다.

'그래도 이 정도면 완벽한 위치 선정이지.'

바둑판 좌표에서 A-1이란 어디인가? 그곳은 바둑판의 가장 아래쪽인 동시에 가장 좌측. 즉, 바둑판의 네 꼭짓점 중 하나이다.

즉, 최저 레벨.

리벤지를 처음 플레이할 때 드워프를 고르면 도착하는 튜토리얼 지역이다.

'심지어 이곳은 음식 재료까지 떨어지니까.'

나는 고급 등급 성 가운데에 대형 분수까지 설치해 준 뒤 신성제국의 난민들을 그곳에 머물도록 했다.

영웅급은커녕 희귀급도 안 되는 고급 등급의 성채는 100만 명의 난민을 받아들이기에 모자란 규모를 가지고 있었지만 상관없다.

'대부분 이그니션에 남으니까.'

염마왕이 제물을 사육하기 위해 만들었다고는 하지만 100만이 넘는 인원 모두가, 1년 넘게 머물렀던 훌륭한 도시를 단번에 버리고 간다는 건 있을 수 없는 일이다.

도시 대부분이 사막에 가깝지만, 그 중앙에는 제법 큰 규모의 오아시스도 있으니 한동안 지내기에는 충분할 것이다.

물론 영원히 그럴 수는 없으리라.

'헬하운드의 고기를 보급해 주던 마인들이 사라졌으니까.'

100만이나 되는 인원이 계속 살아가기엔, 결국 식량 문제가 발목을 잡을 터였다.

[멀끔한 벽돌성(고급)을 훌륭한 요새(희귀)로 업그레이드합니다!]
[훌륭한 요새(희귀)를 완벽한 요새 도시(영웅)로 업그레이드합니다!]

쿠구구구궁!
불꽃성의 성벽이 40미터까지 높아진다. 성벽 위로 버스가 달릴 수 있을 정도로 두꺼워지고 성벽 전체에 항마력을 가진 마법진이 그려진다. 성벽 사이사이에서 생겨나는 감시탑과 마나 포탑, 거기에 비축된 자원을 소모해 작동하는 자동 수복 기능까지.
그러나 그 모든 것을 보는 내 마음은 편치 않다.
'아. 전설 성 세우고 싶은데.'
그러나 그럴 수 없다.

[해당 성을 업그레이드 하시겠습니까?]
[예(300,000다이아), 아니오.]

'하, 시바.'
3천만 원. 수천억 원치 다이아를 가지고 있던 예전과

달리 지금은 도저히 여유가 나지 않는 돈이다.

"이건, 정말, 그야말로……."

한숨 쉬는 나와 달리 하모니가 자라나는 성벽을 보고 신음한다.

"신의 기적이나 다름없군요. 손짓 한 번에 이만한 성을 만들다니."

"뭐, 이 정도로. 아이언 캐슬에 비하면 오두막에 불과하지."

지금은 영웅 등급에서 그쳤지만 궁극적으로 이곳 역시 [기가스 랜드]가 될 것이다. 현재 아르데니아에 가장 중요한 것은 누가 뭐래도 무력이기 때문이다.

온갖 놀거리로 가득한 놀이공원 타입, 매혹적인 이성들을 만날 수 있는 몽마 도시 타입, 회사 업무를 효율적으로 할 수 있는 오피스 센터 타입, 광활한 자연과 영물 등을 만날 수 있는 대수림 타입 등은 아무래도 아르데니아에서 그 효율이 떨어진다.

어차피 아르데니아의 모든 플레이어는 무과금.

다이아 벌이 건물 따위 사치에 불과하다.

"뭐 그래도…… 쓸 건 써야겠지."

나는 다이아를 소모해 건물 하나를 지었다.

〈2,000석 반원형 극장(고급)의 건설을 시작합니다!〉

불꽃성 한쪽의 공터에서 무대 하나가 솟구친다. 지금껏 차분하던 하모니가 반색하는 모습이 보인다.

"세상에! 이렇게 깔끔한 무대는 처음 봐요! 게다가 악기들까지!"

그녀가 날 듯이 무대 위로 올라간다. 무대에는 키보드와 전자 기타. 드럼 등 각종 악기가 세팅되어 있다.

띵~ 띵! 띵!

하모니가 키보드의 건반을 누른다. 그렇게 차례대로 죽 눌러 보더니.

딩~♬ 디디딩~~♪

즉석에서 한 곡 연주한다. 꽤 듣기 좋은 음이 퍼져 나간다.

"괜찮군. 제목이 뭐지?"

"지금 대충 만들어서 제목은 없어요. 그보다 이거 음정이 정말 깔끔하게 나오네요. 그냥 누르는 것만으로 이렇게 소리가 나다니 이런 악기는 처음 봐요!"

지금까지의 차분함이 거짓말이었다는 듯 방방 뛰는 하모니의 모습에, 나는 잘 이해가 안 되어서 머리를 갸웃거렸다.

"방금 연주했는데 이런 악기를 처음 본다는 건 무슨 소리야……?"

내가 의아해하거나 말거나 다른 배우들도 몰려온다.

"와! 바닥 재질 좀 봐! 넘어져도 안 다치겠어!"

"소리 울리는 것 봐!"

"무대 뒤쪽 공간도 엄청 넓고 깨끗해!"

"세상에! 샤워실이 따로 있어! 아, 아니 엄청나게 큰 거울이!"

작은 무대라 실망하지 않을까 싶었는데 다행히 모두 만족하는 모양이다.

'뭐, 의욕이 넘쳐 보이니 다행이군.'

솔직히 음악에 대해 잘 모른다. 아르데니아의 문학이 지구에서 인기가 없었듯 음악 역시 지구에서는 잘 먹히지 않을 수도 있겠지.

'그러나 적어도…… 내가 듣기에는 꽤 괜찮았어.'

그리고 그렇다면 당연히 이들을 키워야 한다. 예술은 아르데니아에서 지구로 수출이 가능한 유일한 것이니, 문학에서 예술로 영역을 확장하는 것도 나쁘지 않은 전략이었다.

나는 그레이트 홀 출신의 배우와 악단들을 뒤로하고 에드워드에게 책자 하나를 넘겼다.

"넌 이거나 외워."

"……이게 뭔데? 아, 아니 뭔데요?"

"구십구광검세(九十九光劍勢). 극의에 이르면 빛으로 이루어진 구십구 개의 검을 만들어 낼 수 있는 무학이다."

신화 확정이라고 불렀지만, 그렇다고 녀석을 신관으로 키울 수는 없다. 괜히 신관 테크를 탔다가 본래 녀석이 접촉했을 외신과 만나게 할 수는 없는 노릇이었으니까.

솔직히 녀석이 검술에 재능이 있을지 마법에 재능이 있을지 정령술에 재능이 있을지 나는 모른다.

확실한 것은.

녀석이 이미 오러를 깨우쳤고, 그 재능이 광 속성이라는 점이다.

"이런 걸 줘도 되는 거야? 아니 됩니까?"

"되니까 줬지. 일단은 외워. 다 외우면 모르는 부분은 가르쳐 줄 테니."

"……네."

그렇게 녀석을 보낸 후 옥좌에 앉아 [빛의 성서]를 펼친다.

'마지막 보물급 서적이다.'

원본이라고는 할 수 없다. 신성제국에는 신의 말씀을 널리 퍼트리기 위해 100권의 필사본을 만들었기 때문이다.

'괜찮겠지.'

좀 아쉽긴 해도 나부터가 필사본을 만드는 상황 아니던가?

어차피 나오는 결과가 필사본이니 그 서적이 원본이냐 아니냐는 상관없다. 실제로 후원을 받은 다수의 작품이 도서관에서 구한 물건들이었으니까.

'다만 문제는…… 필사를 다 해도 당장은 수입이 안 된다는 거지.'

어떤 불가사의한 힘으로 [서바이벌 아일랜드]가 진행 중인 섬이 고립된 상황이다.

온라인 게임인 리벤지의 플레이도, 외부와의 통신도 불가능한 상황.

필사를 완료해도 후원을 받을 수가 없으니 한정된 과금력은 깎이기만 한다. 지구의 다섯 드래곤이 초월급 몬스터를 다 죽이기 전까지는 뭔가 제대로 할 수 있는 게 없다는 소리다.

"로그아웃."

지구, 정확히는 그린 드래곤 플라워의 꽃마차에서 필사를 진행한다. 당장 연재할 수는 없어도 문서를 저장해 놓으면 나중에 한 번에 올릴 수 있을 거라는 생각 때문이었다.

"로그인."

작업을 이어 나가는 동안 계속해서 시간이 흐른다.

아이언 캐슬에서 출발한 깃발 연대는 무사히 세계수의 성과 폭풍의 성에 도착해 수성을 시작했다.

놀라운 것은 그 규모다.

"3만 명이라고?"

랜드웜을 이용해 지하도로와 지상까지의 길을 연결해 준 나는 지하를 따라 이동하고 있는 수천 대의 수레와 1만의 플레이어, 거기에 2만의 일반인들을 보고 입을 벌릴 수밖에 없었다.

플레이어들의 가족. 상인. 노동자 병사 등.

단순히 성을 지키는 수준을 넘어 작은 도시를 구성할 수 있을 정도의 인원이 몰려오고 있었다.

"그렇습니다, 폐하. 지원자들이 너무 많이 인원을 추려야 했지요."

"왜 이렇게 많지? 거리가 먼 데다 완벽히 안전한 곳이 아닌데."

아파트 단지 수준의 성벽을 가진 영웅성은 난공불락처럼 보이지만 고레벨 몬스터나 비행 몬스터가 등장하면 얼마든지 뚫릴 수 있다. 멀리 갈 것도 없이 얼마 전 아이언 캐슬을 공격했던 와이번도 그런 케이스가 아니던가?

"네, 위험하지요. 그러나 동시에 기회의 땅이기도 합니다."

"기회의 땅이라……."

나는 차분한 목소리로 말하는 사내를 바라보았다.

"그래서 직접. 휘하의 기사들까지 데려온 것이군."

"그렇습니다, 폐하."

놀랍게도 폭풍성에는 헌드레드가 그의 은십자 기사단

까지 이끌고 찾아온 상태였다. 인류제국에서도 권력자라 할 수 있는 그가 개척 지대로 내려온 것!

한두 마디만 나눴을 뿐이지만, 난 단번에 상황을 파악할 수 있었다.

"드랍 템이 문제군."

"그렇습니다."

2년 전만 해도 아르데니아에서 고기는 특별한 날에만 먹을 수 있는 음식이었다. 고기는커녕 배를 곯는 게 일상일 정도.

내가 난민들에게 통다리 바비큐와 고기 스튜를 먹여 주었을 때, 그들이 너무 맛있다며 눈물을 펑펑 쏟았던 것은 절대 과장된 행동이 아니었다.

'하지만 이제는 다르지.'

요즘 인류제국에서 가장 인기 없는 식재료가 바로 멧돼지 고기다. 특히나 멧돼지 다리를 바로 구워 낸 구이는 냄새만 맡아도 구역질을 하는 사람이 있을 정도.

'물렸으니까.'

아무리 좋아하는 음식도 하루 세끼 365일 내내 먹으면 물릴 수밖에 없다. 실제로 멧돼지 고기의 가치는 형편없이 낮아져 같은 부피의 감자나 옥수수보다도 쌀 정도라 한다.

같은 쓸모를 가진 물건이라도 희소하면 귀해지고 흔하면 쓰레기가 되는 법.

뼈 장검, 멧돼지 가죽 등등 과할 정도로 많이 생산되는 아이템들의 가격이 바닥까지 떨어졌다. 스타팅에서 생산되는 고블린제 아이템들도 마찬가지이며, 얼음 여왕의 낙원 던전에서 드랍되는 아이템들 또한 가격이 서서히 내려가고 있는 실정이다.

'내가 강제로 쫓아낸 것도 아닌데 비어 있는 착점들로 사람들이 흩어진 것도 같은 이유겠군.'

그리고 새로이 '정복'된 두 용맥에 사람들이 몰려오는 것 또한 마찬가지 이유.

'나쁘지 않군.'

그들은 성을 지키기 위해서가 아니라 던전을 돌기 위해 찾아왔지만, 그렇다 해도 성의 전력이 늘어나는 건 틀림없는 일이다. 오히려 플레이어들이 자신의 욕망을 목표로 움직이는 상황이 기꺼웠다.

"던전을 독점하거나 권한 이상의 행사 벌이지만 마라."

"물론입니다, 폐하."

"그래. 열심히 하는 모습이 보기 좋군."

불꽃성으로 돌아온 난 플라워를 통해 도시별 인구 현황을 확인했다. 인제 보니 아이언 캐슬과 바로 연결된 빛의 성은 이미 인구가 15만이 넘었다.

그뿐이 아니다.

"올해 들어온 출생 신고가 87만……."

인류제국의 전체 인구가 600만을 겨우 넘겼다는 걸 생각해 보면 그야말로 미친 수준이다. 인류의 위기를 어느 정도 이겨 내고 먹고 살 만해지자 제국민들이 가정을 이루기 시작했다는 말이었다.

몬스터 사태 때 고령층이 거의 다 죽어 평균 연령이 낮다는 걸 생각해도 실로 놀라운 수준의 인구 증가.

'그래. 몬스터들이 강해지는 만큼…… 우리 인간도 성장하고 번성하고 있다.'

늘어나는 것은 인구만이 아니어서, 이제 굳이 내가 클래스 카드를 뿌리지 않아도 플레이어의 수가 저절로 늘고 있다. 막대한 골드를 벌어들인 플레이어들이 100만 골드라는 창설 비용을 감수하고 길드를 생성. 출석, 업적 등으로 얻어 낸 명예 코인으로 하급 클래스 소환권을 구하고 있기 때문이다.

"지금 존재하는 길드 수가……."

나는 길드창을 띄웠다. 현존하는 길드 수를 확인하기는 어렵지 않다.

한 길드(1/418)

"가속이 붙는군…… 조금만 지나면 500개가 되겠네."

24시간 알바로 꾸준히 뿌렸던 플레이어의 씨앗이 무럭무럭 자라나 숲을 이루고 있다.

이대로 몇 년만 지나면, 어쩌면 인류제국의 모두가 플

레이어가 될지도 모른다.

"로그아웃."

지구로 넘어가 빛의 성서 필사를 마무리한다. 그리고 그 내용을 대충 둘러보며 생각한다.

'역시…… 성경 베낀 거겠지?'

나는 성경을 본 적이 없지만, 빛의 성서 중간중간 눈에 익은 구절들이 있었다.

게임이나 영화에도 자주 인용되는 성경의 문구들.

다만 완전히 같다고 하기도 미묘하다.

예수나 야훼에 대한 이야기 대신 오대신(五大神). 그러니까 천신과 마신, 문명의 신과 자연의 신, 그리고 운명의 여신에 관해 이야기하고 있기 때문이다

"아, 근데 완전히 복붙은 아니고…… 표절의 경우는 후원 기준이 어떻게 되지?"

뭐 기준이 어떻게 되든 연재가 불가능한 지금은 알 수 없는 일.

"로그인."

문서를 대충 정리하고 아르데니아로 넘어온다. 꽃마차에서 충분한 시간을 보냈으니 한숨 푹 잔 다음 전투에 나설 생각이었다.

"폐하! 폐하!"

앞으로의 행보를 결정한 순간, 누군가 영주성의 문을 박차고 뛰어 들어오는 모습이 보인다. 옥좌에서 내려다

보니 에드워드가 날이 시퍼런 칼을 들고 나를 향해 달려오고 있다.

누군가 그를 봤다면 영락없이 암살자라고 오해했을 것이다.

"뭔데? 나 자러 간다."

"이거 봐요!"

우우웅!

순간 녀석이 들고 있던 검에서 빛이 솟구친다.

그것은 유형화된 내공이자 절정 고수의 상징.

검기(劍氣)였다.

"이거 전에 말했던 빛의 검!!! 이거 98개만 더 만들면 되는 거 맞죠?"

환하게 웃는 금발의 꼬맹이를 어이가 없어 가만히 내려다보았다.

'아니…… 이거 미친놈 아니야?'

에드워드가 소드 마스터가 되었다.

(열일하는 과금 기사 7권에서 계속)